ポイエーシス叢書

75.

言語隠喩論

野沢啓

未來社

言語隠喩論■目次

装幀——今垣知沙子

［凡例］

・書名、雑誌名は『　』で、本文中の引用文は《　》で、キーワードと詩の引用は〈　〉で示した。
・注はポイエーシス叢書の慣例に従い、本文下に脚注として掲示した。
・主要な引用文は前後一行あけ、二字下げでわかりやすく掲示したが、文中に組み入れた場合もある。
・引用文にかんし日本語著作からのものは原文を尊重しているが、翻訳文献にかんしてはそのかぎりでなく、表記は原則的に変更させてもらっていることが多いことをお断りしておく。原著にあたることができる場合は必要におうじて拙訳とするか、訂正をくわえさせてもらっていることがある。引用のなかの強調は断りのないかぎり原文通りである。
・引用のページ数表示にかんしては、日本語著作の場合は「頁」を、邦訳の場合は「ページ」を使っているが、混用しているわけではなく、たんに著者の好みであるにすぎないので、ご寛恕いただきたい。
・引用文献は巻末一覧にまとめ、本文中の注記は簡略化した。たんに参照しただけのものは限りがないので省略した。

言語隠喩論

もしも、ある本が少数の人のためにだけ書かれているのなら、そのことが明らかになるのは、まさに、少数の人しかその本を理解しないという事実によってである。本というものは、それを理解する者と、理解しない者とを、自動的に区別してしまう。序もまた、まさに、その本を理解する人のために書かれるものである。

（L・ヴィトゲンシュタイン『反哲学的断章』三八ページ）

序章　隠喩の発生

詩のことばとはどういうものか。この主題は現在の詩の問題を考えるにあたってばかりでなく、ことばにかかわる者、そしてことばをもって〈創作〉しようとしている者にとってどうしても避けることのできない問題であるはずである。ことばとは何か、そのことを深く洞察せずにさまざまな詩が書かれ、文芸作品が書かれ、それらをめぐって批評のことばが書かれているように思える。すくなくともわたしが深くかかわろうとしてきた詩の世界において、こうした無自覚に起因する全般的衰退は顕著であり、ことばにたいする原理的考察への関心も稀薄である。

　そうした現状への危機感もあって、わたしは以前から関心をもちつづけてきた詩の言語構造について、あくまでも詩を書く者としてことばの発生の現場を可能なかぎり意識的にとりおさえ、ことばにたいして能動的にかかわっていきたい、と切に思うようになったのである。

　それは一方で、どんなにすぐれた過去の作品についてのみごとな作品解析や研究であっても、それは作品やそれを構成する言語の構造のすぐれた特質を解明し解説することはできたとしても、なぜこの作品はこのように書かれねばならなかったのか、という書くこと、書きかたの問題に踏み込むことはできていないからである。

だからもし文学作品、とりわけ詩のことばがどういう意識のもとに発生し、展開され、完成されるのかということばの機序をとらえることができれば、ひとが詩を書くという行為の本源をとらえることができるだろうと思われるのである。

ことばの発生の歴史

まず問題をどう立てるべきか。

人間は生物界のなかで唯一ことばを話す動物ということになっている。

たとえばデカルトは主著『方法序説』の第五部で、人間と動物の差異について書いている。デカルトによれば、人間と〈理性をもたぬ動物〉のちがいはおもに二つあって、ひとつは《われわれが他人に自分の考えをのべるときのように、ことばを用いたり、またはほかの記号を組み立てて用いたりすること》ができるかどうか、またもうひとつは、この動物機械は《認識によって行動しているのではなく、ただ器官の配置のみによって行動しているのだということ》（デカルト『方法序説』、『デカルト　パスカル』二九ページ）であるとし、ここからつぎのような断を下している。

人間と動物とのあいだにある相違を知ることができる。人間ならばいかに鈍い愚かな者でも、またおそらくは気の狂った者でも、さまざまなことばを集めて排列し、ひとつの談話をつくりあげて、自分の考えを他の人に伝えることができるが、反対に、他の動物には、いかに完全でありいかによい素質をもって生まれていても、同じことができるものはない。（同前）

知性の人とされるデカルトにして、ことばをもつという人間の特徴をもって動物界における人間優位説を根拠づけている。われわれの身近に生息する犬や猫にだってかれらに共通する言語があるかもしれないし、鳥にだってあるかもしれず、それを人間が理解することができないかもしれないのに。そして詩の言語はもしかしたら、そういう人間の理解を超える現象から初発のモチーフを得ていることはおおいにありうることであり、たとえそれが人間の言語の特性とはおおいに異なる種類のものだとしても、実際にそうしたところから詩のことばが発生してきていることは多くの作品によって例証することができる。

とはいえ、こうした人間の思い上がりによって人間はこれまで世界を征服し、自然を自分の思い通りに改造してきた。とりわけヨーロッパ世界とは人間の漸進的な自然征服の歴史であり、ヨーロッパ精神とはそうした征服の歴史を正当化する〈観念〉の歴史であった。それが近代のアジア、アフリカにおける植民地主義の推進力ともなったことは紛れもない事実である。こうした植民地主義の論理は、ヨーロッパ人以外の異人種を人間以下のもの、動物的存在に類するものとして異物化＝差別化し、みずからの暴力性、野蛮さを不可視のものにしてきた。そのいきついた結果が、自民族以外のものを劣等なものとみなし侵略戦争やユダヤ人虐殺を合理化したヒトラーの戦争観、現代のアメリカ一国帝国主義などに結びついたことを思えば、やや話が飛躍したことにもなるだろうが、淵源はこうしたヨーロッパ的人間絶対主義にあることは見ておかなければならない。そのさいに言語、ことばをもつことがそうした人間的絶対主義の大きな特徴であったことは間違いない。にもかかわらず、詩人はそうしたナショナリズム、ポピュリズムから無縁の存在でなければならないのである。

もっともデカルトのいわゆる動物機械論に大きな影響を受けた人間優位説はなにもデカルトひとりの責任ではない。ギリシアの昔からそういうことはあたりまえのように考えられてきたからである。ギリシアの哲学思想を集大成したと言ってよいアリストテレスもそういう思想を展開している。

アリストテレスは、晩年（と言っても六十歳前後だが）の著作と目される『デ・アニマ（霊魂について）』で、〈感覚〉をキーワードに植物——動物——人間という階層序列を展開している。その前提となっているのが生についてのつぎのような理解である。

　生きていることは、いろいろな意味において言われるから、これらのうちのひとつだけが備わっていても、それを生きているとわれわれは言うのである。たとえば、理性、感覚、場所的運動と静止、さらに栄養における運動や減少や増大がそうである。だから、生長するものはすべて、生きていると思われる。なぜなら、それらは明らかに、自らのうちにそうした能力と原理をもっており、(以下略)

(『アリストテレス』二九六ページ)

アリストテレスはこう書きながら、まず栄養能力——《栄養を摂り、かつ栄養を摂ることができるであろうかぎり》(同前)——はすべての生き物には不可欠のものであり、それは植物にも該当するが、《動物であることは、まず感覚によって初めて可能である》(同前)のであって、《植物には栄養的能力だけが備わり、他のものにはこれと感覚的能力が備わっている》(同前)としてまず動物を植物から分離する。このあとさまざまな感覚をめぐっての考察をすすめたあとで、アリストテレスはこの著作の主題である〈魂〉についての考察にむかう。《魂がそれによって認識し思慮するところの魂の部分については、肉体から切り離されうるものであるにせよ、あるいはまた、大きさの点でなく、本質規定のうえで切り離されうるものであるにせよ、これがいかなる差異をもつか、また、思惟することは、いったい、いかにして生ずるか、検討しなければならない》(同前三二七ページ)として、《感覚能力が感覚の対象に対すると同じような関係を、理性は思惟の対象に対してもたなければならない》(同前)とするのである。《理性というのは、魂がそれによって思考し、断定するところのものを指す》(同前)のであるから、ここで

〈魂〉とはそもそも理性と同一のものであり、この理性には《可能的であるという本性以外の本性はなにも属さない》（同前）。そうすると栄養的能力と感覚的能力（場所的移動）が備わっている動物の現実態（エンテレケイア）にたいして、理性の対象とするものはそれを超えた可能態（デュナミス）において存在するものであって、動物の三次元的現実世界とは異なる、いわば異次元的な思惟の世界に活動するものとなる。《感覚的表象は、他の動物たちにも備わっている。これに対して、熟慮的表象は思量的能力をもつものたちのうちに備わっている》（同前三三六ページ）としてアリストテレスは、人間にのみ可能な理性を措定する。《思考する場合は誤っていることもありうる。そしてこれは言葉（ロゴス）の備わらないものには備わっていない》（同前三二四ページ）というわけで、この理性的思考（思惟）を支えているものが〈ことば〉であることを明らかにする。ここでは〈魂〉の問題を考察しながら、アリストテレスは〈ことば〉すなわち理性をもつことにおいて動物のなかでの人間の優位を論証したのである。

そもそも世界の始まりは、日本では『古事記』によって世界創世的に語られているように、キリスト教世界でも聖書によって同型的な記述を与えられている。あらためて確認しておこう。まず『古事記』冒頭二節はこんな記述がなされている。

天地《あめつち》初めて發《ひら》けし時、高天《たかま》の原に成れる神の名は、天之御中主神《あめのみなかぬしの》。次に高御産巣日神《たかみむすひの》。

次に神産巣日神《かみむすひの》。此の三柱《みはしら》の神は、並獨神《みなひとりがみ》と成り坐《ま》して、身を隠したまひき。次に、國稚《くにわか》く浮きし脂《あぶら》の如くして、久羅下那州多陀用弊流時《くらげなすただよへるとき》、葦牙《あしかび》の如く萌え騰《あが》る物に因りて成れる神の名は、宇摩志阿斯訶備比古遅神《うましあしかびひこちの》。次に天之常立神《あめのとこたちの》。此の二柱《ふたはしら》の神も亦《また》獨神と成り坐《ま》して、身を隠したまひき。

（『古事記　祝詞』五一頁。一部のルビを省略など変更あり）

ここでは天地創造とともに神の名が意味の生成をともないながら、あるいは意味を胚胎させながら与えられる。クラゲが漂うようなあぶらぎった海からできる名が「宇摩志阿斯訶備比古遅神」というように。以下、このような神の命名がつづくのだが、これはカオス的世界が神々の命名によってどのように整序されていくかを示している。この本文の前におかれた「古事記上巻、并《あは》せて序」という太安万侶の説明を見よう。

臣安萬侶《しんやすまろ》言《まを》す。夫《そ》れ、混元既に凝りて、気象未《いま》だ効《あらは》れず。名も無く為《わざ》も無し。誰れか其の形を知らむ。然れども、乾坤《けんこん》初めて分れて、参神造化の首《はじめ》と作《な》り、陰陽斯《ここ》に開けて、二霊群品の祖《おや》と為《な》りき。所以《このゆゑ》に、幽顕に出入して、日月目を洗ふに彰《あらは》れ、海水に浮沈して、神祇身を滌《すす》ぐに呈《あらは》れき。故《かれ》、太素《たいそ》は杳冥《えうめい》なれども、本教に因りて土《くに》を孕み島を産みし時を識り、元始は綿邈《めんばく》なれども、先聖に頼《よ》りて神を生み人を立てし世を察《し》りぬ。

（『古事記』、同前四三頁）

つまりここでの神々の命名は、『古事記』そのものが壬申の乱を経て即位した天武天皇が側近の稗田阿礼に誦み習わせた帝紀・旧辞を次の元明天皇の勅命によって太安万侶が文字化したものであることから、あらかじめ権力的に根拠づけられているのである。「先聖」とは天武天皇を指すのだろうが、『古事記』という天地創世の作り話はそうした天皇という絶対性によってその成立を保証されたにすぎない、ことばの世界なのである。

一方、聖書の世界創造においてはなによりも〈ことば〉の存在が特記されていることをあらためて確認しておかなければならない。周知のように、古代オリエントの民譚の集成とも言うべき旧約聖書の「創世記」のはじめ（一・三）にまずはこうある。

神光あれと言《いひ》たまひければ光ありき

（『旧新訳聖書』「旧約聖書」一ページ）

そして神が命ずるたびに光と闇（昼と夜）が現われ、天と地が現われる。ここは『古事記』が暗い混沌の世界から神の名がひとつひとつ命名されて立ち上がるのとはちがって、まずは光が与えられた明るい世界のなかで天地創造がおこなわれるわけだが、新訳聖書ではこの世界創世におけるその事態を「ヨハネ福音書」（一・一―三）ではいきなり〈はじめにことばあり〉で示している。

太初《はじめ》に言《ことば》あり、言は神と偕《とも》にあり、言は神なりき。この言は太初に神とともに在り、萬《よろづ》の物これに由りて成り、成りたる物に一つとして之によらで成りたるはなし。

（『旧新訳聖書』「新訳聖書」一七八ページ）

世界の構成原理たるこの神の「言《ことば》」とは「ロゴス」である（フランス語訳では大文字の「パロール」Parole が与えられている）が、『古事記』とちがって、ヨーロッパ世界ではすでに早くから〈ことば〉そのものがもっとも主導的な駆動力となっていたことがわかる。すでに聖書以前からアリストテレスに見られたようなギリシア思想伝来のことばの先行性、したがってことばをもつことの人間の優位性は、デカルト以後の近代的覚醒を中継して、現代においても根底においてつねにひきつがれてきている。そのことはいまや現代ヨーロッパにおいてばかりか、日本をふくめ世界じゅうの言説のなかに原理的に滲透していると言っても過言ではない。ソシュール以降の二十世紀の言語論的転回がこうしたことばの本質性にあらためて光をあてたことはある意味では本来的なことだったとも言えるのである。

ことばが発生する機序

しかし、ことばが歴史的に発生してきた端緒を哲学的あるいは宗教的に明らかにしたとしても、そうした理解はすでにことばの存在が前提になっているのであって、どうしてある最初のことばが発生したのかを解明しているわけではない。なにもないところにどうしてことばが発せられたのか。それは想像力の問題であって、歴史の問題でもなければ哲学の問題でも、ましてや宗教的始原の問題でもない。

なぜ、ことばは発せられるのか。

日本語の世界では吉本隆明が『言語にとって美とはなにか』のなかで提起した指摘ほどこの問題の所在に迫っているものは見かけない。『言語にとって美とはなにか』の「第Ⅰ章　言語の本質」の「1　発生の機構」はまずこの問題を掘り起こすことから始めているのだが、たとえばこの問題はこんなふうに提起される。

> 言語は、動物的な段階では現実的な反射であり、その反射がしだいに意識のさわりを含むようになり、それが発達して自己表出として指示性をもつようになったとき、はじめて言語とよばれるべき条件を獲取した。この状態は、「生存のために自分に必要な手段を生産」する段階におおざっぱに対応している。言語が現実的な反射であったとき、人類はどんな人間的意識ももつことがなかった。やや高度になった段階でこの現実的反射において、人間はさわりのようなものを感じ、やがて意識的にこの現実的反射が自己表出されるようになって、はじめて言語はそれを発した人間のために存在し、また他のために存在すること

（『吉本隆明全著作集6』二二―二三頁）

となった。

このすこし前のところで、吉本はエンゲルスが猿から人間への進化にあたっての労働のもつ意義について触れた言語論を紹介したうえで、《労働の発達が言語の発生をうながしたことと、うながされて言語を人間が自発的に発することとのあいだには、比喩的にいえば千里の径庭がある》（同前二一頁）とする。そのうえで《この人間が何ごとかを言わねばならないまでにいたった現実的な与件と、その与件にうながされて自発的に言語を表出することとのあいだに存在する千里の径庭を言語の**自己表出**（selbstausdrückung）として想定することができる》（同前二二頁）と吉本は書く。〈意識のさわり〉などという、なんとも不器用な、微妙なあやをつけたこの着眼点こそ吉本の言語論が詩人としてことばの発生の機序に踏み込もうとした出発点なのである。

吉本は先の引用にすぐつづけてこんなことを書いている。

たとえば狩猟人が、ある日はじめて海岸に迷いでて、ひろびろとした青い海をみたとする。人間の意識が現実的反射の段階にあったとしたら、海が視覚に反映したときある叫びを〈う〉なら〈う〉と発するはずである。また、さわりの段階にあるとすれば、海が視覚に映ったとき意識はあるさわりをおぼえ〈う〉なら〈う〉という有節音を発するだろう。このとき〈う〉という有節音は海を器官が視覚的に反映したことにたいする反映的な指示音声であるが、この指示音声のなかに意識のさわりがこめられることになる。また狩猟人が自己表出のできる意識を獲取しているとすれば〈海《う》〉という有節音は自己表出として発せられて、眼前の海を直接的にではなく象徴的（記号的）に指示することとなる。このとき、〈海《う》〉という有節音は言語としての条件を完全にそなえることになる。（同前一三頁）

この一節をあらためて言語の発生の機序という視点から読み直すと、そこに吉本の詩人としての問題意識と矜持がかけられていたことを見逃すわけにはいかない。ことばが生まれる現場性、意識のさわりとでも言わざるをえない微妙なことばと意識のずれをこんなふうにみずからの詩の発生と重ねあわせて探求しようとしているからだ。吉本の詩人的想像力にもとづいたこの言語発生論は独創的で卓抜なものだが、残念ながら言語発生論にかんして吉本はそれ以上の展開をみせることがなかった。ただ、こういうことを書きつけることが詩人であることの自己証明であり、吉本自身が詩のことばを発するときの感覚というか情念をなんとか記述してみたいと思ったことが貴重なのである。わたしが吉本の言語発生論を、その不十分さは認めざるをえないとしても、参照せざるをえない根本的な理由である。

ちなみに、戦争中はひとなみに軍国少年であった吉本は敗戦時に富山県魚津市での勤労動員の工場の広場で敗戦を告げる天皇のラジオ放送を聞いて茫然としたあと、《漁港の突堤へでると、何もかもわからないといった具合に、いつものように裸になると海へとびこんで沖の方へ泳いでいった。水にあおむけになると、空がいつもとおなじように晴れているのが不思議であった。そして、ときどき現実にかえると、「あっ」とか「うっ」とかいう無声の声といっしょに、恥羞のようなものが走って仕方がなかった》（「戦争と世代」、『吉本隆明全著作集5』六六七頁）と書いている。このときのことばにならない経験がそれでも自然に発した音声としての擬似的な言語経験がこの一節の下敷きになっているにちがいない。

この吉本の言語発生論に音声学的な照明をあてたようなことをジャン＝ジャック・ルソーが『言語起源論』のなかで書いている。

単純な音は、自然に喉から出てくる。口は多かれ少なかれ自然に開かれる。けれども音節を分けていうためには、舌と口蓋の形を変えねばならず、そのためには注意力と訓練が要求される。（中略）どんな言語でも、強い感嘆の声は音節で分けられていず、また叫び声や呻き声も単純な音である。

（『ルソー選集6』一四六ページ）

ここからルソーは原初の言語がどのような変化と発展をみせていくかを簡略に展開していくのだが、それは別の議論になろう。ここではルソーの直観が吉本の問題意識と共振している事実を指摘しておけば足りる。

ヴィーコの詩的想像力

そしてルソーとほぼ同時代、厳密に言えば、もうすこし早く活動していたジャンバッティスタ・ヴィーコという十八世紀イタリアの哲学者の思索が、吉本やルソーよりももっと大がかりにこの言語発生論に言及していることがわたしにはとても興味深い。というのも、ヴィーコは、原始的人間が野獣的段階から言語を発見＝習得し、理性を獲得していく歴史的形成のありようを根源的に解明しようとする学問的野心に衝き動かされ、それまでのいかなる学問も十分になしえなかったような人間の宗教や歴史の成立を解明する〈新しい学〉の確立という壮大な目標にむかう過程で、人間の歴史が異教的世界（混沌とした人間たちの織りなす原始的共同体）において《感覚にもとづき形像によって表現されるような形而上学から始まったにちがいない》（『新しい学』上、二九七ページ）と指摘し、そのときこの原初的形而上学を担った人間たちこそ原初の詩人たちなのだった、と理解しているからである。

最初の人間たちは、（中略）なんらの悟性的判断力もそなえてはおらず、全身が強力な感覚ときわめて旺盛な想像力であった……。この形而上学はかれら自身の詩的創作であった。そしてそのような詩的創作の能力はかれらにおいては生来の能力であった。なぜなら、かれらはそのような感覚とそのような想像力を生まれつき授けられていたからである。また、それはもろもろの事物の原因について無知であるところから生まれたものであった。この無知があらゆる事物にたいするかれらの驚嘆の母なのであった。（中略）かれらはあらゆる事物について無知であったために、出会うものすべてに強く驚嘆したのである。

（同前二九七―二九八ページ）

このような原初的詩人たちは自然的事実の驚異を目にすることによって、その驚異の原因を神々として認識するかたちでその詩的創作を開始する。この詩人たちは《その驚嘆した事物にかれら自身のイデア〔自己観念像〕にもとづいて実体的存在を与えたのだった。これはまさしく幼児の本性である》（同前二九八ページ）とヴィーコは指摘する。この〈幼児の本性〉こそ、見るものそのものをみずからの存在のイデアたる自己観念像と連続するかたちで事物自体を再創造する本源的な力である。そして後述するように、この自己観念像に沿ったかたちで事物にたいして原初のことばが発せられるのである。

ところでヴィーコによれば、この〈幼児の本性〉をもつ原始的人間たちは野獣的本能をもって世界に生息していた巨人族でもあったとされる。ホメロスが『オデュッセイア』第九巻（『ホメーロス』三七一―三七九ページ）で描き出している、オデュッセウスとその配下の者たちが洞窟の中で出くわす怪物ポリュペーモスとは、野獣的本能をもち人間とのコミュニケーションをもとうとしない、巨人族キュクロープスたちのひとりであった。オデュッセウスの部下たちは簡単につまみ上げられて食い物にされてしまうのである。その後、酒に酔わされて寝いっているすきにオデュッセウスによって目を突き抜かれたポリュペーモスが洞窟の外に出て大声で仲間の巨人たちに助けを求めるときにも、呼び出されたこの者たちもそれぞれがこの世界にあって孤立して生きているにすぎない者たちだった。実際にここまで身体が大きかったのかどうかはともかく、――それは神話的にも物語的にも巨大化された形象であると言うべきであろう――厳しい自然と凶暴な動物たちのあいだをぬって生き抜いてきた原始人たちは身体的能力としても相当に高いものがあったのだろう。逆に言えば、そうした身体的能力の持ち主でなければ、この厳しい時代を生き抜いてこられなかっただろうから、ある意味では身体的に選り抜きの人間たちだけが存在していたにちがいない。そうしたかれらでさえ、いまだことばをもたない〈インファンス〉の状態であったわけである。

しかし、その状態からようやく脱却するときがくる。聖書にも書かれているようなメソポタミアの大洪水の時代を経て、その大洪水の湿気が乾いて空気が雷を引き起こすようになり、天がものすごく恐ろしい雷光をひらめかせ、雷鳴を響かせるようになる。こうした雷に衝撃を受けたのが〈幼児の本性〉をもつこの巨人たちだったとヴィーコは言うのだ。

そこで、雷が発生したとき、巨人たちのうちでも最強の者たちであったにちがいない一部の巨人たちは山頂にある森に散開していたのだが（最強の野獣は山頂の森に巣窟をもうけるものである)、その原因のわからない大いなる現象に驚き、びっくりして、目を上げ、天〔の存在〕に気づいた。(中略) このような〔原因のわからない現象に出会った〕場合には、人間の知性はその現象に自分自身の自然本性を付与しようとするものである。そしてかれら巨人たちの自然本性は、そのような状態のもとにあっては、どこからどこまでも頑強な肉体の力そのもので、唸り、ごろごろという音声を発しながら、かれらの凶暴きわまりない情念を発散させていたような人間たちのそれであった。そこで、かれらは天を一個の生命ある巨大な物体であると想像し、そのような相貌のもとで、それをゼウスと呼んだ。いわゆる〈大〉氏族の最初の神である。かれらによると、ゼウスは稲妻のひゅーと鳴る音と落雷の轟音とによってかれらになにごとかを言おうとしているというのであった。

(『新しい学』上、三〇〇―三〇一ページ)

このとき、恐ろしい雷光と轟く雷鳴を見聞した巨人たちは恐れおののき、キュクロープスたちのように洞窟の中へ逃げ込むのだが、そのさいこの巨人たちはどんな声を出したのだろうか。ヴィーコが言うように〈ゼウス〉(またはジュピター=ユピテル)と呼んだのかもしれないが、ここにはさきの吉本隆明の《海が視覚に反映したときある叫びを〈う〉なら〈う〉と発するはずである》という想像をさらにダイナミックに展開してみせたイメージを見ることができるだろう。この巨人たちこそ、自身の身体像にあわせて最初にことばを発した詩的想像力をもった人間であるにちがいない。かれらはそのことによって世界の創建者ともなる。そしてそのことばこそが世界にたいして初めての詩的創作であり初めての隠喩として機能するものとなる。なぜなら最初のことばはなにものか世界の顕現にたいする符牒であるからで、そのことばによって初めて世界が切り拓かれるものだからである。

ヴィーコは『新しい学』（一七四四年）に先立つ初版とも言うべき一七二五年版の『新しい学の諸原理』においてこのことを明示的に語っている。

> 無知な人間は自分が知らないものを自分自身の自然本性的なあり方から判断する（中略）偶像崇拝と神占は、まったくの空想であったし、そうであらざるをえなかった詩的創作の所産であり、いずれも、人間の社会的知性によって考案された最初の隠喩であるとともに、その後に形成されたどの隠喩よりも崇高な、つぎのような隠喩とともに生まれたものであった。すなわち、世界および全自然は、実物語《じつぶつ》によって語り、こんなにも異常な声を発して、人間たちにさらなる崇拝をつうじて理解してほしいと願うことを警告する、一個の巨大な叡智的物体であるというのがそれである。（『新しい学の諸原理』一二八ページ）

ここでヴィーコが、無知な人間たちの自然の驚異を前にして発せられたことばがかれらの〈詩的創作の所産〉であり、そのことをつうじて世界が実物語《じつぶつ》を介してまずはみずからの存在を顕現させた、と言っている事態とは、別のところで《神学詩人たちの、神的な詩の第一原理である最初の物語》の誕生とされ、《詩人の抱懐する観念によって、存在を有していない事物にまるごと存在をあたえる》（同前二六三ページ）と言われているものであり、たとえば〈ゼウス〉ということばが雷とともに自然の驚異それ自体を指し示す神的権威に存在を付与するものであった、というようなことを意味している。最初のことばがとりあえずは実物《じつぶつ》にたいする命名行為であったこと、そしてそれが世界にむけて人間がことばをもって分け入っていく最初の発明ないし発見であったという意味で、言語がおのずから隠喩としてはたらいていく現場でもあった。ヴィーコ研究の第一人者であるとともにヴィーコの主要な翻訳者でもある上村忠男はこの事態を適切に解説している。

ヴィーコは、いわば言語意識のゼロ地点に立ったところから、言語の世界の構成過程そのものをつかもうと試みている。そして、まさにその構成過程そのもののうちに、一種の隠喩的な作用が存在しているのを見てとるのである。いいかえれば、異教世界の最初の人間たちの「詩的知恵」の起源には隠喩的表現法が存在するとかれがいうとき、そこでいわれる「隠喩」とはすでに構成された言語の世界の内部にあっての語義の転用のことではない。

（「ヴィーコとヨーロッパ的諸科学の危機」『ヴィーコ論集成』一九頁）

この〈言語意識のゼロ地点〉こそ人間が言語を初めて発するさいの言語意識の構造そのものであり、そこにいまだ関与する言語は存在しなかったのだから、上村が言うように、その言語は《すでに構成された言語の世界の内部にあっての語義の転用のことではない》のは当然であり、それは真正の言語そのもの、必然的に世界にたいして隠喩としてのはたらきをもつ以外にない言語の純然たる創出なのである。上村はさらにこのことからつぎのような帰結を導き出す。

ヴィーコが「詩的知恵」の世界の始源に措定している隠喩的な作用というのは、（中略）なによりもまず人間の心的世界のなかに事物がそもそも自己同一性をそなえて立ち現われてくるさいの当の事物の自己同一性の原理にほかならない。ヴィーコは、事物の自己同一性自体が人間のイデア＝自己観念像の自己差異化的な転移の作用をつうじて初めて確立されるものとみるのである。

（「訳者解説　大いなるバロックの森――ヴィーコ『新しい学』への招待」、『新しい学3』二八八ページ、強調は引用者）

ここではヴィーコの言語＝隠喩論にかんして決定的なことが言われている。言語＝隠喩の発生とは、《人間の心的世界のなかに事物がそもそも自己同一性をそなえて立ち現われてくるさいの当の事物の自己同一性の原理》に基礎づけられており、そこから《人間のイデア＝自己観念像の自己差異化的な転移の作用》として実現されるものである、ということが言われているからである。原初のことばは世界の事物にたいして、それが人間にたいして与えるその実物性への偏差すなわち自己差異として表出されたものである。実物というかたちにたいして、ここではことばが逆に実物に先回りするかたちで与えられる。ことばの世界においては自己差異としてのことばが事物を命名し定義づけるのであって、もはや事物がことばに先行するわけではなくなる。聖書が言うところの〈太初《はじめ》に言《ことば》あり〉とは、混沌たる世界にことばが分け入り、その構成物にたいしてひとつひとつ命名をおこなうことによって、世界をことばの世界のなかに整序していくのである。このとき、整序されことばによって構成しなおされた世界とはすでに隠喩的世界となっているのであって、ことばはまさに隠喩そのものとして発生しているのである。上村忠男が指摘するとおり、ヴィーコは《言語の世界の成立過程そのものを視野のうちにとらえこもうとする。そして、ほかでもなく、その言語の創出過程そのもののうちに隠喩的な作用を見てとるのである。》(『ヴィーコ論集成』一六五頁)

このことば＝隠喩の発生のしくみこそ、原初の神学詩人のみならず、歴史上のあらゆる真正の詩人ばかりでなく、はるかに現在のわれわれの詩を書く現場にまで通底している、ことばによる世界の開示、発見の原理そのものにほかならない。既成のものとして言語化されているような世界は、原理上、詩ではないものにすぎないのである。

このヴィーコ的なことば＝隠喩の発生とその後の言語の発展と高度化については、たとえば新カント派のエルンスト・カッシーラーはこんなふうに整理している。

> 感性的に興奮した状態は、それがそのまま模倣的表現に転ずることによって、この表現のうちにいわば没入してしまう。そこで放電し、そこで落着するのである。さらに展開され発達してゆくにつれてこの直接性が抑えこまれ、それと同時に内容がはじめてそれ自身として固定され、形を与えられることになる。この内容が外に表わされ、分節化された音声という媒体によって明確かつ判明に表わされるべきだとすれば、いまやより高次の意識性や、その内的な差異についてのより精密な把握が必要になる。身振りや分節化されていない興奮の叫びとなって直接発出することを阻止されることによって、感性的な欲望や表象そのものの内部にある内的な尺度、ある運動が生じる。たんなる反射《レフレクス》から、「反省《レフレクシオン》」のさまざまな段階へ通じる道がいっそう明確なものになってゆく。分節化された音声が発生するということのうちに、つまり、ゲーテのことばを借りれば「騒音が楽音へと仕上げられる」という事実のうちに、精神のきわめて多様な領域においてそれぞれ新たな形をとってあらわれるあるきわめて普遍的な現象の出現が認められるのである。
>
> （『シンボル形式の哲学（一）第一巻　言語』二二三―二二四ページ）

なにも一気にここまで言語の普遍化的発展について言及する必要もないかもしれないが、カッシーラーもまたこうした言語の原初的発生とその音声化についてメタファー（隠喩）の存在に目をとめていることには注意しておきたい。

いかなる種類のことばも、ここかそこ、近さとか遠さを表わすことばほどに強くは「自然音声」の性格を帯びてはいない。こうした空間的区別を表示するのに用いられる指示的不変化詞は、大多数の言語におけるその形態化がほとんど例外なしに直接的な「音声によるメタファー」の残響であることが認められる。（同前二五三ページ）

アプローチの多少の違いはあっても、カッシーラーもヴィーコと同じことを言っているように思える。言語が発生する機序というものは想像的再現というプロセスを経るしかないとしても、まずは内的な感性的な興奮や恐怖というものがなんらかの音声を喚起し、その音声が必然的にことばとして整序されていく過程で言語の隠喩化という現象をともなうのである。

小括

とりあえずここまでの論述において、主としてヴィーコに依拠しながら原初的人間がことばを初めて発する機序について大きな手がかりを得た。ヴィーコの言う〈神学詩人〉とはことばをもたない段階において自然の驚異に目覚めてみずからの感覚と想像力にのみ依拠してことばを発する経験をもち、そこから徐々に他の人間たちとコミュニケーションを確立していく優れた資質をもった人間たちのことである。ことばの発達とともに社会や国家が形成され、歴史が作られていくなかで、人間はえてしてことばの本源的な価値と創造性を見失ないがちになり、つねに原初的な感覚と想像力をもって世界と対峙していく詩人という存在を無視していくようになる。とりわけ現代のように経済的な流通価値が至上のものとされ、感覚と想像力をとぎすませて未知なる世界の発見に、太古の詩人とかわらずにことばの挑戦を試みている数少ない真正の詩人たちの営為は、無価値なもの、無意味な時間つぶし、少数者の変わり者の妄想と見なされ、哲学者でさえも詩人の存在理由に疑問を投げかけてくる始末である。

だからわれわれはあらためて問わねばならない。詩がいまでも有効であるためにはどうすればよいのか、と。

しかし、詩の問題を問うこと、詩を書きつづけることの意味を見失なわないならば、現代の多くの詩人たちのように、いたずらに詩の技術的問題や不毛な難解さを嘆いてみてもはじまらない。ましてや詩的言語の本質的隠喩性をたんなることばの転義のレベルで論じるなど、もってのほかである。わたしが『単独者鮎川信夫』（思潮社、二〇一九年）で展開したように、鮎川信夫を筆頭とする「荒地」派詩人たちが切り拓いた戦後詩的隠喩の歴史的役割には一定の評価を与えたうえで、それの単純な切り捨てではなく、詩的言語の本質的隠喩性を新しい世界の創建にむけていかに発動させていくのかを根源的に考えていけばいいのである。

現代でも数少ない真正の詩人たちは、みずから発しようとすることばの尖端において未知の世界との接触を〈自己差異化〉的に探求しているはずである。原初的詩人たちと異なって、生まれたときから言語的世界のなかにどっぷり浸かってきた現代人においては、それぞれ身につけてきた言語的関係世界のなかから新たな言語的発見を試みるためには、そうしたことば人間としてのみずからの生態への自覚と、その自己から世界への新しい関係を設立するにはあくまでも自己を相対化し差異化していくなかで現出してくることばを手がかりに、ことばがことばとして自立していく運動をひとつひとつ確認しながら世界へ分け入っていく以外にないのである。シュルレアリスティックと誤って思い込んでいるだけの、ことばの野放図なでまかせの垂れ流しでなく、ことばへの確固としたリアリティを確認しながら書きすすめること――これが、いま詩を書くことのほんとうの意味であり、すでに数少ない真正の詩人たちが日々つとめているところなのである。

だからと言って、あまりにリゴリスティックに考えることはない。詩を書くということは、だれも書いたことのないことばの世界を自己確信的に書くことなのであり、だれもが常識的に知っていることをあたかも詩のように書くことではないからである。詩を書くことの倫理とは、自己模倣から離脱し、自己差異化による自己からの転移をそのつどどれだけ実現しうるのかにかかっており、ことばが自身において未知の世界との接点をもとうとする決意性にある。詩を書こうとするものは、この観点に立つかぎり、臆することはないのである。

詩は散文に先行する

詩のことばはどこから始まるのか。序章「隠喩の発生」で書いたように、原始的人間が最初のことばらしきものを発声する機序がなにかしら或る必然的な契機によって動機づけられていること、それが徐々に人間同士のコミュニケーションを必要とするところから家族、部族社会、国家という制度が形成され、同時に歴史というものが後追い的に生み出されてくる。ことばはそういうなかで大きな役割を果たしながら、それ自体が発展的に整備され洗練されてきて、古代には劇のことばが、そして近代にいたって文学や批評のことばが成立してくるのである。

しかし、それよりはるか以前に詩のことばの原型が魔術や宗教儀礼をつうじて発生していて、人間の思考や意識の生成を言語化し、さらにはホメロスに見られるように自由な想像力とことばの律動の展開のなかで人間の歴史を壮大に描き出すような作品をつうじて記録し記憶にとどめていく。十八世紀イタリアの哲学者ジャンバッティスタ・ヴィーコは『新しい学』第2巻第2部「詩的論理学」の第2章のなかで、後世の文法家に共通する二つの誤謬として、《散文家の語りが本来的なものであって、詩人の語りは非本来的なものであるとする誤謬と、散文による語りが始めにあって、そのあとに韻文の語りが登場したとする誤謬》（『新しい学』上、三三六ページ）について指摘している。こんな誤謬は、詩がもともともっとも直接的なことばとして世界に対峙するかたちで発生しただろうこと、劇はそうしたことばを社会的歴史的な背景をもとに構成的に組み立てる必要があって詩より遅れて出てきたものであったこと、さらに小説は一定の長さをもつ筋書きを想定し、個人の幻想や心理をそこに投影する物語がジャンルとしての自己確立を経なければまともに成立しえなかったことを考えてみれば、自明のことである。このことはいまでも凡庸な批評家が錯覚している問題点であるが、ときに詩人自身でさえも勘違いしているのが多く見受けられる。詩の原理とは、本来的にことばがことばの力のみによってまったく新しい世界を創出することにあるのであって、なにか散文的な世界が先行して、それを詩のことばが言い換えてゆくようなものでは絶対にありえない。詩的言語の換喩性などとは、部分的にそうした働きをするのは認められることがあるとしても、それは広義の隠喩の一部として包摂されるべきものであり、そうしたことばの換喩機能が全体を支配するとすれば、それはすでに真正の詩ではないということをみずから証明しているにすぎないのである。

それはともかく詩的言語（の隠喩性）の先行性は、日本語の文学的世界においても和歌という詩の形式がまず最初に生成してきたことをみれば、明らかである。

ひろい意味での文学的言語のなかで詩のことばが劇のそれよりも、ましてや小説や批評のことばよりも先行的に成立するのは、詩のことばが原始的な魔術の直接的な要請から生まれてきたことによる、と西郷信綱は述べている。

祭りの集会が社会の全体性を荷ない、それに支えられている限り、そこに顕現する夢幻もまた社会的なのであり、むしろこの状態において成員たちは、日常の現実をこえた次元で情緒的に統一され、深層における自己意識つまり自由に達することができたはずである。（中略）私は最初の詩人——というのがいいすぎであるとすれば、詩人のもっとも素朴な原型とよびうるであろう巫女のことを念頭において、こういっているのである。祭りの中心の座にいる巫女は、みずからのためにひとり狂ったのではない。彼〔女〕は全体の力によって狂わしめられたのであり、だから彼〔女〕の発する神のことばは、人々を動かすとともに自然という物質をもつらぬき、それを共鳴せしめる威力をもちえたに外ならぬ。

（西郷信綱「詩の発生」、『増補 詩の発生』二一頁、〔 〕内は引用者の補足）

ここで〈巫女〉とはほとんど〈物憑き〉と同義にとらえられているが、至高の言語たる神のことばが巫女の身体を通って舞い降りてくるとみなされたのであり、しかもそれが公的なかたちで同定されることによって、そのことばの力が権力的に通用するものとされる。魔術が場を支配する共同体において、巫女のことばは唯一の公式言語であり、すべてを秩序づけるのである。西郷がこの引用につづけて《巫女の発することばが日常語や散文であったはずはなく、そして彼〔女〕を詩人の血脈上の祖先あるいは原型だと考える勇気なくしては、詩というものの本質に近づいてゆけないのではなかろうか》(同前)と言うのも、巫女とは無媒介的にことばの本質とつながっている存在であり、詩人という存在もまたそうした原型と同位相にある存在であることをまずは認めるところからしか詩の問題に接近することはできないことを伝えているのである。

巫女のことばが古代の祭式などにおける歌舞や音楽的リズムなどで高揚されることによって導き出されるものであることはおそらく確かなことであろうが、西郷は《巫女の発することばが日常語や散文であったはずはな》いのは、《逆にいえば、彼〔女〕らの言語、つまり呪文は、日常語や散文であることができなかったのだ》、さらに言えば、《彼〔女〕らをとらえたあの神がかりの心的状態は、散文や日常語を以ては正確に翻訳することのできぬ特殊な或るものであったからに外ならぬ。詩が、あるいは呪文や諺が記憶的であるのは、たんに不文の時代のせいではなく、もっと深い本質的なことがらであった》(同前二四頁)と述べている。われわれが詩の問題としてことばとの直接的な接点を考察しないわけにはいかないのは、こうした本質にどこまでも接近するためである。

西郷はこの論文の最後のほうでこんなふうにまとめている。

詩は時代の経験や感情を静謐のなかに収斂した一〔つ〕の燃える小宇宙、すなわち精神的舞踏にも似た一〔つ〕の完結した祝祭であろうと欲する。かくして詩という焦点では、時間は抽象され、原始のお祭りにおいて最もよくあらわれた共同体的自我が歴史との交わりのなかで再生産されつつ持続するわけで、詩人の精神には原始人が棲む、としばしばいわれるのもこのためである。言語の原始的・魔術的機能がよび起されざるをえないのも、このことと関係する。

（同前三四―三五頁、強調は引用者）

《詩人の精神には原始人が棲む》ということばはたえず喚起されるべき重要な意味がある。現代詩人といえども、詩を書く行為にはかならず言語の深層にじかに触れようとする魔術的な権能をはたらかさなければならない瞬間があるはずだからである。その瞬間が世界との接点でもあり、それが現前しないかぎり真正の詩は出現しえないのである。

哲学は詩を説明するか？

すでに本書の序章「隠喩の発生」で指摘したように、ヴィーコによれば、原始人たちが自然の驚異を前にして言語を創出するにあたって発揮した詩的想像力は《人間のイデア＝自己観念像の自己差異化的な転移の作用をつうじて初めて確立される》類いのものであった。つまり、自然の驚異を言語的に把握するためには、とりあえずみずからがすでに獲得してきた感覚や想像的理解やそれらをつうじての自己観念像を参照し、それからの変形、転移、類推といった差異を見出すことで新たな像としてことばをつくりだしていくという作業を原初的詩人たちは実現していったわけである。これをヴィーコは〈詩的知恵〉と名づけている。ヴィーコはこれまでの人文学的学問のありようを一新する意図をもって始めた『新しい学』の第2巻をそもそも「詩的知恵」と名づけているが、その緒論のはじめのほうでこんなことを書いている。

まずは詩人たちが感覚によって受けとめて通俗的知恵にまとめあげたことがらを、つぎに哲学者たちが理解力を働かせて深遠な知恵にまとめあげることとなったのだった。だから、詩人たちは人類の感覚であり、哲学者たちは人類の理性であったということができるのであって、アリストテレスが個々人について述べた〈まえもって感覚のうちになかったものは理性のうちにない〉ということは、人類一般にとっても真実なのである。

(『新しい学』上、二七九—二八〇ページ)

哲学者が詩人を理解するというのはほんとうだろうか。たしかにヴィーコもふくめてニーチェ、ハイデガー、デリダなど、詩や詩人に言及する哲学者は数多い。どちらもことばを生きる人間だから当然といえば当然なのだが、詩人たちも哲学者のとりわけ言語にかんする言説には注意を払ったほうがいい。そこに汲めどもつきぬヒントがあることが多いからである。しかし、哲学者の詩にたいするアプローチにたいしてヴィーコがクギを刺しているのもおもしろいので紹介しておこう。

詩人たちの教えることは哲学者たちには似合わないと書いている者はだれでも、もしわかってそう書いているのであれば悪意に満ちており、わからずにそう書いているのであれば無知であることに注意すべきである。そのうえ、詩人たちの真理は見方によっては歴史家たちの真理よりも真実なのである。それというのも、詩人たちの真理はその最善の理念《イデア》における真理であるからであり、歴史家たちの真理は気まぐれか必要か幸運によって得られた真理であるにすぎないからである。

（『新しい学の諸原理』三五五ページ）

この引用部分の後半は、哲学者への批判ではもはやなく、ついでのようなかたちでの歴史家にたいする詩人の優位を語っていておもしろいのだが、これにはアリストテレス『詩学』でこれにぴったり合う論述があって、こちらもおもしろいので引いておこう。

詩人（作者）の仕事は、すでに起こったことを語ることではなく、起こりうることを、すなわち、ありそうな仕方で、あるいは必然的な仕方で起こる可能性のあることを、語ることである。（中略）歴史家はすでに起こったことを語り、詩人は起こる可能性のあることを語るという点に差異があるからである。したがって、詩作は歴史にくらべてより哲学的であり、より深い意義をもつものである。というのは、詩作はむしろ普遍的なことを語り、歴史は個別的なことを語るからである。

（『アリストテレース「詩学」／ホラーティウス「詩論」』四三ページ）

歴史家にとってはまったくおもしろくもない指摘であろうが、詩人にとっては本質的なことが言われている。詩人は《起こりうることを、すなわち、ありそうな仕方で、あるいは必然的な仕方で起こる可能性のあることを、語る》のであり、詩は《歴史にくらべてより哲学的であり、より深い意義をもつ》のであり、《普遍的なことを語》るのである、とされているからである。たしかにアリストテレスの言うとおり、詩は哲学に親近性が強いのである。

　このことをハイデガーも指摘している。

> 思考と作詩、この両者のあいだには、或る秘匿された親近性が支配しています。というのは、この両者はことばに奉仕しつつことばのために執《と》りなし、おのれを浪費するからであります。しかし両者のあいだには同時にひとつの裂け目もあります。なぜかといえば、両者は〈最も離れた山頂に住まう〉[☆1]からであります。
>
> （ハイデガー「哲学とは何か」、『ハイデッガー選集7』三八ページ）

☆1　〈最も離れた山頂に住まう〉はヘルダーリンの詩句。

ハイデガーが最後に留保をつけているように、詩と哲学は言語への親近性にもかかわらず、めざすところがちがうのであって、それはヴィーコの言う感覚／理性の差異と同じなのかもしれない。そして詩人とは、哲学からのどんなアクセスや支持があろうとも、ほとんど孤立無援の努力、原始人の心性で世界の開示性に立ち向かっていくしかない種族である。ヴィーコ的に言えば、詩人の〈詩的知恵〉はどんな時代にあっても単独者として発動するべきものなのである。哲学はそのことを追認したりしなかったりするだけである。

トピカとクリティカという視角

哲学者とは、ヴィーコによれば、《諸国民の老年期》（『新しい学』上、四二四ページ）における存在である。既述したように、人類の幼児たる原始人たちが〈詩的知恵〉として創出したことばとともに創成された諸国民にあっては、まずはその創建者たる原初的詩人たちが物事を発見し発明し、しかるのちに哲学者がそれらを解釈し意味づけたのであって、その逆ではない。こうした事態はいまも変わらない事態であるが、そのことがより鮮明に現われたのがこの諸国民の創建時代なのであり、ヴィーコはまずこの原初的詩人たちの仕事を〈トピカ〉というカテゴリーで捉えようとする。

文明の最初の創建者たちは**感覚的トピカ**に専念していた。それによってかれらは個や種の言ってみれば具体的な特性や性質あるいは関係をひとつにまとめ、そこからそれらの詩的な類概念をつくりあげていたのである。

（『新しい学』上、四二二ページ）

ここでヴィーコの言う〈感覚的トピカ〉とは、訳者上村忠男の注によれば、《なんらの悟性的判断をも介在させることなく、もっぱら感覚と想像力のみにもとづいて、個や種を類にまとめあげていく、発見術的な操作》（同前五九〇頁）と説明されている。つまり諸国民の創建時代においては日常の現実においてつぎつぎに生起する諸問題を明確に設定し確定していく作業がかれら創建者たる原初的詩人たちに課せられていたのであり、それらにことばを与え、説明することが優先されたのである。時代をつくるとはそういうことでなければならない。ヴィーコはさらに指摘する。

まずもってはトピカが彫琢されはじめた。ひとがあることがらを十分にあるいは完全に知りたいとおもう場合には、そのことがらのなかに存在しているかぎりの論拠をくまなく渉猟していなければならない。トピカとは、そのような論拠の在り場所《トポス》を教えることによって、わたしたちの知性の第一の操作を巧く規制する術にほかならないのである。

（同前四二二―四二三ページ）

ここで〈知性の第一の操作〉とヴィーコが呼ぶものが〈トピカ〉であって、現代では「論題」というような意味で使われる〈トピック〉、その問題の提起されている場所を〈トポス〉と呼ぶが、その語源にあたるものと言ったらいいだろうか。ともかく、ヴィーコによれば、〈トピカ〉とは知性がまずなすべきこととして第一義的に設定されている操作なのであり、これに対応する第二の操作が〈クリティカ〉と呼ばれるものである。ヴィーコの言い分を聞こう。

神の摂理は、人間にかんすることがらにたいして、クリティカよりも先にトピカを人間の知性のなかで促進するよう取り計らったのだった。事物については、まずは認識し、つぎに判断するというのが、ことがらの順序であるからである。トピカというのは知性を創意工夫に富んだものにする能力のことであり、クリティカというのは知性を厳密で正確なものにする能力のことである。そして、最初の時代には人間として生きていくうえで必要なあらゆるものが発明されなければならなかったのであり、発明するというのは創意工夫の特性なのである。（同前四二三ページ）

〈クリティカ〉とはいまでいう〈クリティック〉の原型とも言えようが、ヴィーコの言うとおり、順序としてものがつくられ、つぎにそれらを批判的に検討し判断する作業がなされるべきなのである。詩と哲学の関係とまさに同型であると言ってよい。ヴィーコが〈トピカ〉を〈クリティカ〉より優先するのは、文明時代の創成期におけるこうした時間的順序に理由があるばかりでなく、かれ自身の思索においても物事を新しくつくりだしていくこと、そのさいにこれまでだれも見つけることのなかった諸問題を発見的に確認していこうとすることに価値を見出したからではないだろうか。『新しい学』というこれまでのだれも構想することのなかった新しい学問の定礎を企てたヴィーコからすれば、問題は整序し価値づけるまえに、何が問題であるかを既成概念にとらわれることなく網羅的に並べてみせることが大事だったのではないか。

上村忠男によれば、ヴィーコの最初の著作『イタリア人の太古の知恵』第一巻「形而上学篇」でもこのトピカ優先論が提示されているのだが、この論点にたいして匿名の批判がヴィーコにたいしてなされ、それにたいしてヴィーコが回答している文章がある。匿名の批評の論点は、トピカが発見の術であることを認めたうえで、《それ〔トピカ〕の諸規則はただそこにおいて或るものが何であるかを証明するための論拠が見出され収集されるところの共通の普遍的な場所を指示しているだけであって、われわれの知性の単純知覚をうまく統制し指導する諸規則を与えてくれるトピカなるものにはこれまで一度としてお目にかかったことはない》という常識的なものだった（上村忠男『ヴィーコの懐疑』二六六頁に引用）。それにたいしてヴィーコはこの批判をいちおう受け入れたうえで、自分の言う〈トピカ〉とは、古代ローマ人によって呼ばれている〈証拠の配列〉のことではなくて、《提起された問題の二つの観念を統一するために見出される第三の観念のことである》（同前二六七ページ）としたうえで、こう書いている。

わたしはさらに付け加えて言いたい。これは真なるものをつかみ取る術である、と。それというのも、これは、或ることがらが提起された場合にそれをよく識別し、それについての適切な認識をもつために、それのうちに存在しているありったけの場所《トポス》を調べ上げる術であるからである。判断に虚偽が生じるのは、われわれに表象される観念がことがら自体よりも多いか少ないかにほかならず、ことがらをそれについて提起されうるそのすべてのそれ固有の問題にわたってくまなく見て回っておかないことには、われわれは自分の下す判断に安心できないのである。（同前、イタリア語は省略、強調は引用者）☆2

ここにはヴィーコという思索者にして永年ナポリ大学の修辞学教授としての面目躍如たるものが感じられ、またそのトピカ論の網羅的徹底ぶりがよく示されているのだが、わたしがここでとりわけ注目したいのは、傍点を付した箇所のように、そのトピカの真髄は〈真なるものをつかみ取る術〉であるというところにある。つまりヴィーコのトピカはたんなる事実の網羅性の方法にあるのではなく、その網羅的事実のなかから真なるものを見つけだしていくための方法なのである。固有の問題についてそのすべてを点検しておかないと真実は提出することができない、ということである。

☆2　上村によれば、この反論はかなり長いものだが、日本語には訳出されていないそうである。

そしてこのトピカ論に現われている問題の提出のしかたこそ、世界をクリティカの方法とはまったくちがった視点から構想しなおそうとするヴィーコの野心の表われであり、見方を変えれば、世界を創造の立場から新たにつくりなおそうとする詩人の立場の擁護にもつながるのではなかろうか。

詩は制作である

ヴィーコのトピカ論がたんなる話題づくり、事実確認、問題提起の方法ではなく、物事を生産的につくりだす方法であるとすれば、これほど詩人を勇気づけるものはない。クリティカの検証、批判を受けるまえに物事を自由な想像力をもとに生産的に世界のなかにつくりだすこと——ただし無媒介的な思いつきではなく、可能なかぎりの自己検証、自己確認をふまえたうえでの話だが——、つまり端的に言って自在な言語表現、これが詩人の仕事でなくてはならないからである。

この点に関連して哲学者三木清も同じようなことを指摘していることに注目したい。

> 表現的なものとして物や人間はそのものが直接に、根源的に、本來的な意味に於て眞と語られるのである。所謂命題の眞理とは異る存在の眞理の問題はこのやうにして何よりも先づ表現の問題に關はつてゐる。しかも現實をそのものとして眞と語ることは特に、それを

理解の立場からでなく制作の立場から考へるとき必然的に要求されてゐる。一般に表現の問題、特殊的には表現に於ける眞理の問題は、根本的に制作の立場から考察されることが大切である。理解は一〔つ〕の意識過程であつても、制作はさうでない。制作はただ知ることでなくて作ることであり、作ることは單に意識の内部に於て起こり得ることでなく、作るためには我々は身體を必要とし、外部の存在に働きかけて、我々の外部に作品が出来上るといふことが問題である。そして我々は作られたものそのものに就いて眞であるとか僞であるとかと語るのである。（「表現に於ける眞理」、『三木清全集5』一一一―一一二頁、〔 〕内は引用者の補足）

ここではいくつも重要なことが言われている。すなわち、ひとつは表現においては命題の真理ではなく〈存在の眞理〉が問題であること、つぎには理解の立場からではなく〈制作〉の立場から考えるべきこと、そして創造は身体としての存在に働きかけることで作品を外部に表出すること、最後には創造された作品そのものにたいして真偽が問われること。ここで〈存在の眞理〉とはハイデガー的であり、〈制作〉の立場とはいまふうに言えば〈ポイエーシス〉的行為であり、創造行為とその評価は身体論的および構造主義的テキスト論である、と注釈をつけることもできる。いわば表現思想のアマルガムなのだが、三木はこれを書いた一九三五年という時期においては最大限に先駆的なことを主張している。そしてここで言われていることは、いささかもクリティカ的でなくトピカ的であるというかぎりにおいてヴィーコ的でもある。

三木はさらにこの論点をベルクソンを批判しつつ発展させていく。

この〔ベルクソン的〕世界に於ては原理的に「凡ては與へられてゐる」のであつて、本來の意味に於ける創造といふことは考へられない。眞の創造は過去からのものでなく、現在からのものである。藝術的創作の如きが一〔つ〕の目的活動であることは云ふまでもないが、この場合の目的論は内面的であつて、そして眞に内面的な目的論は「目的なき目的論」である。それは何等因果論の逆と云はれ得るやうなものでない。職人は彼の頭の中に豫め存在するイデーに従つて仕事をする、彼の製作は對象的製作である。然るに藝術家の仕事は、それが純粋であればあるほど、無からの創造である、彼のイデーは作ることのうちに於て生れて來るのである。(同前一二二頁、〔 〕内は引用者の補足)

ここで批判されているベルクソンは技術的知性を対象として《我々が幾何学者として生まれるように我々は職工として生まれる。いな、我々が職工であるという理由によってのみ我々は幾何学者であるのである》(同前より孫引き)ということを書いており、三木が《職人は彼の頭の中に豫め存在するイデーに従つて仕事をする》というのはこのベルクソンの、世界を限定的にしかとらえないことばを踏まえたものであり、三木はそれを否定して芸術家の仕事を称揚するのである。そして三木はこの立場にとどまらない。この三年後(一九三八年)に書かれた「解釋學と修辭學」では、さらなる展開を示している。

三木は当時のディルタイ的解釈学の隆盛にたいして、それが《理解の、従つてまた觀想の立場に立つて、行爲の、乃至は實踐の立場に立つものでない》（「解釋學と修辭學」、同前一四一頁）と批判するとともに、つぎにように書くのである。

> 表現そのものは單なる體驗とは異る行爲の立場から、また單なる理解とは異る制作の立場から考へられることができる。歴史性の意味が過去の歴史とその理解の立場から現在に於て歴史を作る行爲の立場に移して考へられねばならぬやうに、表現の意味も解釋學的立場から離れて表現作用そのものの立場に於て捉へられねばならぬ。（同前一四二頁、強調は引用者）

ここでは〈行爲の立場〉〈制作の立場〉の主張がくりかえされるとともに、さらには解釈学的立場にたいする〈表現作用そのものの立場〉という視点が登場してくる。ここからこの論文「解釋學と修辭學」のもうひとつの論点である修辞学（レトリック）の可能性が〈表現作用そのものの立場〉をさらに推進すべく、すぐつづけて提起されるのである。

> この場合修辭學は我々に必要な手懸かりを與へ得るやうに思われる。修辭學は端的に表現に關係してゐる。我々は表現するために修辭學を用ゐるのである。修辭學は表現の理解に

關係するのでなく、却つて表現の作用に關係してゐる。（中略）次に修辭學は表現作用の立場に立つものとして表現の技術性について知らせる。修辭學は何よりも技術である。それは表現的であるためには技術的でなければならぬといふことを我々に教へる。表現的なものは技術的であるといふことは、修辭學にとつて謂はば公理である。（同前）

ここまで修辞学というものを〈表現作用そのものの立場〉から主張する哲学者というものは例をみない。これは詩人の仕事を理解し、判断し、総括する哲学者の役割をおおきく逸脱し、詩人の立つべき位置を鼓舞するものと言っていい。戦前の仕事とは思えないほど先鋭な芸術論であり、詩論でさえもあるこの論文は残念ながらその後の日本社会のなかでは発展させられることなく、しかも官憲による三木自身の虐殺とともに忘却のうちに葬られかかっていたのである。これに光をあてたのはおそらく上村忠男であるが、上村の「三木清『構想力の論理』をめぐって」に付録として追加された『寺子屋雑誌』第十三号（一九八二年）掲載の木前利秋らとの討論のなかで、上村がこの三木のレトリック論を受けて《およそ言述なるもの、表現的なるもの一般の根源的ないし始源的形態としてのレトリック、悟性的概念の成立以前のところで展開される根源的ディスクールとしてのレトリック》（『ヴィーコの懐疑』三一〇頁）という評価を与えているのはさすがに正確な理解である。

三木清が言うように、詩人の立つべき位置とは表現作用そのものの立場、制作（ポイエーシス）の立場であるならば、詩人が対峙するものとは何だろうか。ひとつにはみずからが生を営んでいるところの環境世界であり、他者との関係のなかで世界－内－存在として実存している人間社会であり、さらにそのなかでコミュニケーションをはかったり想像力をめぐらせて独自の思索を展開させるテクスト空間、すなわちことばの世界である。とりわけ日常生活の時空間から離陸してことばの世界に入るとき、詩人は自分をとりかこむ世界というものが巨大な空虚であることをいやおうなく認識させられる。

詩を書くという行為が自動的に始まるわけではないことは、詩人ならばだれでも知っている。散文ならばテーマと思考の方向性が見えれば、ある程度は自動的に書きはじめることもできるだろうが、詩の場合はそうはいかない。あらかじめ書こうとするものが見えている場合も稀にはあろうが、通常は既成のイメージや思念をそのまま詩に書くことは意味がない。すでに世の中に存在しているイメージをあらためて描写してみたり、型にはまったイデオロギー的な見方を詩の形で書いてみても、そこにはなんの発見も新たな方向性も見出されることはない。すくなくとも書く自分にとって新たな発見がなければ、そもそも詩など書く意味がない。なにごとかを説明したければ散文で書けばいいのだし、それさえもとりたてて意味がないかもしれない。要するに書かなくてもいいのである。詩はつねに自分にとっての発見でなければならないし、書くことをつうじてしか実現できない意味でなければならない。なにごとか新しい可能性を見出したいという意欲のないところに、発見などありえないのである。

それではどうするか。このなんの変哲もないのっぺらぼうの世界と対峙して詩人がことばをくりだそうとするにはなにがしかの方法がなければならない。むしろその方法こそが詩を成立させ、内実を支えるものと言ってもいいかもしれない。三木清の言い方に従えば、詩とは技術であり、その意味で修辞的でなければならない。それはかつて吉本隆明が『戦後詩史論』（大和書房、一九七八年）のなかで当時の現代詩にたいする否定的言辞として使った〈修辞的現在〉とは似て非なるものとしての修辞性であることは言うまでもない。修辞的であることは詩の制作の原理であって、そこから撤退する理由はなにもないからである。

ちょうどこんなことを考えているところで、たまたま『現代詩手帖』二〇二〇年一月号に掲載された谷川俊太郎の詩「言葉を覚えたせいで」を読むと、この問題が散文脈でびっくりするほどストレートに提起されていて興味深いことが書かれている。

言葉のおかげで人間は意味というものに取り憑かれるようになった。確かに人間は動物と違って、意味なしでは社会生活を送れない。意味のおおもとにあるもの、言葉で名付ける以前にそこに存在するものに迫るのが、散文とは次元の違う詩の狙いだと考えたい誘惑から逃れるのは難しい。それだけが詩の目的だとは考えていないが、詩を書こうと身構えると、どうしてもその方向に意識が働く。

僕らが日々話したり書いたりしている言葉が、組み合わせによって突然「詩」に転じるその仕組みは一体どういうものなのか。散文でそれを解き明かす試みは数多いが、その仕組み自体が「詩」そのものだと考えると、その秘密とでも呼ぶべきものは、彼らの意識下の混沌にあると考えるしかない。
（『現代詩手帖』二〇二〇年一月号）

まったく無防備なほど率直に詩と散文の問題、ことばがあるとき突然、詩そのものになる仕組みとその秘密のことが語られているが、この〈意識下の混沌〉をこそわれわれはとことん考えなければならないのである。〈言葉で名付ける以前にそこに存在するもの〉とは何か。

中原中也は「芸術論覚え書」の冒頭で同じことを言っている。

「これが手だ」と、「手」といふ名辞を口にする前に感じてゐる手、その手が深く感じられてゐればよい。
（『中原中也』二一一頁）

中原はこれにすぐつづけて《名辞が早く脳裡に浮ぶといふことは尠くも芸術家にとつては不幸だ》（同前）とも述べているが、谷川の言うように〈意識下の混沌〉にある、たとえば〈手〉を名辞として把握してしまうまえに〈深く感じ〉ることが必要だということである。ここで名辞は概念として一般化するのであって、詩を書くことは名辞以前の感覚を言語化することにほかならないのである。

身分け＝言分け、そして世界へ

ひとむかし前と言ってはなんだが、ひところ身体論ブームというのがあって、市川浩の『精神としての身体』などが一世を風靡したことがあった。そこで市川は〈身分け〉という概念を提出していたのである。

われわれはすでに意味をもった歴史的世界へ生まれでるのであり、すでに分節化され制度化された文化的世界を受け容れながら、それを再分節化し、集合的に再構成してゆきます。そのとき世界の分節化のいわば照り返しとして、同時に身みずからが潜在的に分節化される。つまり身が身で世界を分節化するということは、身が世界を介して分節化されるということにほかなりません。このような共起的な事態を〈身分け〉と呼びたいと思います。

（『〈身《み》〉の構造』五一頁）

ここで市川が提起しているのは、われわれはすでに意味づけされた環境世界のなかに生まれ、そこで生を営むことによってそのつど世界を分節化し、そのことをつうじてみずからも世界によって分節化されるということで、〈身分け〉という概念は世界に対峙する人間が生きることそのものによってそこへ介入していくという対他身体的イメージをまさしく身体論的に巧みに表現したものである。市川は別の箇所でも《芸術作品が持つ多義的な豊かさは、もの的なもの、それをさまざまのレヴェルで受けとめる身体的感応をぬきにしては考えられない。これは身が世界と感応し、相互に分節化し合う関係です》（同前一〇頁）と述べている。中原中也の〈手〉とはまさにこの分節化された〈身〉のシンボルと言えよう。しかし、市川のこの哲学的概念は、その後、とくに大きな展開をみることがなかったように記憶するが、この概念をソシュール学者の丸山圭三郎が部分的に受け継いで〈言分け〉という概念へと展開したことはここであらためて検討するに値する。

> 過去も未来も、コトバの産物であり、ヒトはコトバによって「今、ここ」ici et maintenantという時・空の限界からのがれ、ポジティヴな世界をゲシュタルト化する身分けに加えて、ネガティヴな差異を用いて関係を創り出す非在の世界を言分ける。この第二のゲシュタルトを〈言《こと》分け構造〉と呼び、（以下略）（『ソシュールを読む』二五五頁）

この市川の〈身分け〉、それを言語的問題に展開した丸山の〈言分け〉という哲学的概念は、とくに丸山がラングの問題としてそれを《過剰としての文化の惰性態》（同前）と定義づけ、その概念の創造性、豊穣性を廃棄してしまったことによって終息させられた感がある。しかしわたしは、詩人が身をもって世界と対峙し、そこでことばを発することをつうじて世界に介入していくイメージとして、あらためてこの〈身分け＝言分け〉概念を取り込んでみたいと思う。身体論哲学者と言語学者が持て余したこの創造的概念を詩論を書くうえでおおいに活用できると思うからである。詩を書くという、世界へむけてのことばの冒険を開始するさいのイメージにこの概念はぴったり重なるのではないだろうか。それはまさに修辞学的試みであり、三木清が言うとおり、修辞学的であることは技術的であるとすれば、詩人はことばの世界に身をもってあたらしいことばを掲げて方法的に進入していくのである。

そういう観点からみると、安藤元雄の詩を読むことはこの概念のもたらす可能性を十分に感じさせてくれるのではないか、と思う。今回、『安藤元雄詩集集成』（水声社、二〇一九年）を通読する機会をもったが、そこで初めて読んだ初期詩集『船と　その歌』のなかの「からす」という作品に瞠目した。安藤らしい作品であるばかりか、初期から一貫する安藤詩篇の原質をみせてくれたものだと思う。すこし長いが、全篇を引く。

からす

さて　おれはここにとまって
空がしきりと赤い方角を眺めているが

別にあれが何かのしるしというのでもあるまい
飛ぼうと飛ぶまいと　おれはどっちみち
空と地面の間に閉じこめられているだけだ
空気が透明だったためしはないのだし
そのおかげで　どうやらおれも
墜落をまぬがれているというわけだ
果すべき使命がないということは
つまりは輪を描いてまわるのと同じこと
こうして枝に載ってさえいれば
おれも一かどの存在であり
つまり一かたまりのものとも言える
飛び立ったが最後　おれの体はたちまち散らばって
嘴だの目玉だの何枚もの羽根だの
その羽根の軸だのということになる
とまっていればおれは世界だし
宙に浮かべばすぐさま崩れる世界なのだ
もう一本の枝

或いは輪の中心に死んでいる一匹の鼠
を見つけるまでは
おれは密度がゼロになるまで拡散し
それから鼠の上で収斂するのだ
実際　神だのこうのとりだの
黒い兎だのがいなくなって以来
もう伝説など欲しがっても仕方がないし
そんなことよりむしろ　こうして
目をつぶって見下している方がいい
枝を一本摑んでいるだけで
なぜおれがこうも求心的になるのか
などとはどうでもいいことだ
おれが目をつぶったところで
ここに平べったく降り注ぐ光
は相変らずだ
まだああやって赤い方角からよろよろ帰って来る奴らが
全部揃って目をつぶることが必要なのだ

そうすれば夜が来るだろう　顔のない夜が
それまでは　いま暫く
どすぐろい羽根の軸でも嘴でこすってやるだけだ

（『安藤元雄詩集集成』五九―六一頁）

まさに間然とするところのない目も眩むような作品だが、この哲学的カラスは木の枝に載っているだけでこの世界にたいしていかなるアクションも起こさない。〈こうして枝に載ってさえいれば／おれも一かどの存在であり〉〈とまっていればおれは世界だし／宙に浮かべばすぐさま崩れる世界なのだ〉といった具合で、目の前の世界にたいしていっさい行動しないという身分けの選択（実存）において、消極的ながら世界に介入しているのである。

そもそも冒頭から〈さて　おれはここにとまって〉とあるように、まずはどこともわからない〈ここ〉から詩が開始されるのだが、〈ここ〉とはまさに詩人＝哲学的カラスが未知の世界へ身をもって対峙しているスタート地点である木の枝なのであり、それは世界に対峙する詩人の〈言分け〉の姿勢なのでもあって、そこから最初に分節される〈空がしきりと赤い方角〉とは夕陽のことをさしていることがあとでわかってくる。からすは結局のところこの枝を動くことはない。諦観によって世界と対峙していると言ってもいいのだが、みずからは動こうとしないで、ひたすら世界を注視する。あるいは〈墜落をまぬがれている〉だけで、必死に枝に止まっているだけなのかもしれない。ともかく詩人＝哲学的カラスは動かないという断固たる選択をおこなうことによってじつはみずからの詩を、この対象たる世界にたいしてひとつの身分けの行動を発動しているのである。みずからは動かないことによって世界に介入すること、あるいは動かないことによってまわりの世界を動かすこと。木の枝の上に載って世界を観察すること、世界に意味づけを与えること、そしてみずからの存在の意味も明らかにしていくこと。みずからが動いてしまってはこの世界は崩壊してしまうこと、〈飛び立ったが最後　おれの体はたちまち散らばって／嘴だの目玉だの何枚もの羽根だの／その羽根の軸だのということになる〉ということをよく知っているからである。なぜならみずからが〈一かたまりのもの〉であるのは動かないことにもとづいているからである。餌食としての鼠を見つけたとしたら、その〈上に収斂する〉自分を知っているからである。だからこそ仲間のカラスたちが〈赤い方角からよろよろ帰って来る〉行動を見下ろしているだけ。〈飛ぼうと飛ぶまいと　おれはどっちみち／空と地面の間に閉じこめられているだけだ〉からであって、この達観も世界にたいするひとつの身の入れ方である。〈枝を一本摑んでいるだけで／なぜおれがこうも求心的になるのか〉などと自賛してみても、すぐさまそんなことは〈どうでもいいことだ〉と力強いひと偭けで否定する。ここには若き安藤元雄の世界とのかかわりかたが、すこし斜に構えたシニカルな種類のものであると同時に、ひとつのところにクリティカルに立ち尽くす矜持によってぎりぎりで支えられていることをよく示している。世界にあえて介入しないことによって世界を発見し、あるいは世界と一体になる、この介入の否定というポーズによる身分けの行為のポジティヴな介入。詩の逆説はまさにこの点にあるのである。

そしてこの姿勢はすこしあとの代表作「水の中の歳月」でも、こんどは〈待つ〉というヴァリエーションでもって展開されていくのを見ることができる。

待っている——何を？　私はそれが何であるかを知らない。というよりも、私は自分の待っているものが何であるかがわかるのを待っているのだ。だから私は、実は何も待っていないのと同じである。だが、このようなこと——つまり私のいましていることを、一つの動詞であらわそうとしたら、待つ、という以外にどう言えばいいか、私にはわからない。

（同前一一七—一一八頁）

この作品は水の中で長い歳月を過ごしている私という非現実的な想定の作品だが、〈待つ〉という行為の一貫性は安藤元雄という哲学的反行動主義とでも呼ぶしかない精神が世界と対峙する根本姿勢を示している。もちろんここで待たれているのは詩の〈身分け＝言分け〉構造を発動させることば以外ではない。ちなみにこの長い散文詩の最後の二連は〈考えようによっては、この水は最初から私を包んでいたのではなく、むしろ長い間に少しずつ私の体から滲み出たものかも知れない。だとすれば、私は私の中に浮いているとも言えるし、私は私の中に沈んでいるとも言える。〉〈そしてやがて私が水の中にいることを私自身が忘れる日が来たとき、水はその冷たい悪意を完成させるだろう。〉(同前一二三―一二四頁)と結ばれている。恐ろしいほどの自己意識の増殖だろう。

この最後の詩想は萩原朔太郎の散文詩「死なない蛸」を彷彿とさせるものがあり、この作品の水中のタコの視点から考察をめぐらせた別ヴァージョンのようにも考えられる。萩原のあまりにもよく知られた作品だが、短いので全文を引いてしまおう。

或る水族館の水槽で、ひさしい間、飢ゑた蛸が飼はれてゐた。地下の薄暗い岩の影で、青ざめた玻璃天井の光線が、いつも悲しげに漂つてゐた。

だれも人人は、その薄暗い水槽を忘れてゐた。もう久しい以前に、蛸は死んだと思はれてゐた。そして腐つた海水だけが、埃つぽい日ざしの中で、いつも硝子窓の槽にたまつてゐた。

けれども動物は死ななかつた。蛸は岩影にかくれて居たのだ。そして彼が目を覚した時、不幸な、忘れられた槽の中で、幾日も幾日も、おそろしい飢饉を忍ばねばならなかつた。どこにも餌食がなく、食物が全く盡きてしまつた時、彼は自分の足をもいで食つた。まづその一本を。それから次の一本を。それから、最後に、それがすつかりおしまひになつた時、今度は胴を裏がへして、内臓の一部を食ひはじめた。少しづつ他の一部から一部へと。順順に。

かくして蛸は、彼の身體全體を食ひつくしてしまつた。外皮から、腦髓から、胃袋から。どこもかしこも、すべて殘る隈なく。完全に。

或る朝、ふと番人がそこに來た時、水槽の中は空つぽになつてゐた。曇つた埃つぽい硝子の中で、藍色の透き通つた潮水《しほみづ》と、なよなよした海草とが動いてゐた。そしてどこの岩の隅隅にも、もはや生物の姿は見えなかつた。蛸は實際に、すつかり消滅してしまつたのである。

けれども蛸は死ななかつた。彼が消えてしまつた後ですらも、尚ほ且つ永遠にそこに生きてゐた。古ぼけた、空つぽの、忘れられた水族舘の槽の中で。永遠に――おそらくは幾世紀の間を通じて――或る物すごい缺乏と不滿をもつた、人の目に見えない動物が生きて居た。

（萩原朔太郎『宿命』三八―三九頁、◎の圏点は原文）


この〈死なない蛸〉が人びとの忘却という悪意にさらされながら、飢餓に耐え、ついにはみずからの身体を食って消失するというイメージはグロテスクなものだが、それでも〈物すごい缺乏と不滿をもつた〉動物として、目に見えない悪意として幾世紀も生きつづけるという強烈なアイロニーと文体的な執念深さは安藤元雄の世界にはないものだろう。安藤は水中で、もしかしたら自分の体から滲み出たものかもしれない水の悪意のなかでみずからの忘却のすえにひっそりと消滅することを願っているのにちがいない。それだけ安藤の世界は朔太郎の執拗さにくらべるとスマートだとも言えるのだが、どちらにしても、詩のことばが疑似身体をもって世界に〈身分け〉するとき、すでに詩のことばはそれ自体として、なにものかの言い換えではけっしてない隠喩それ自体の役割を果たし、作品世界はひとつの壮大な隠喩的世界像として屹立することになる。

あらためて世界へ！

われわれが詩を書きはじめるとき、ことばはおのずから霊感によって喚び起こされるというようなものではない。さきほどの安藤元雄の「水の中の歳月」にせよ萩原朔太郎の「死なない蛸」にせよ、水中の〈私〉あるいは〈蛸〉が消失するという小さなドラマが〈悪意〉〈不満〉ということばと結びついたとき、そうしたおぞましき〈水〉に〈悪意〉〈不満〉という意味がとりつけられる。水に悪意や不満などない、水中の人間生活などありえない、というつまらない散文的反応をさしおいて、この水が悪意や不満の隠喩として人間そのものから滲み出た環境世界と化し、蛸を生きたまま吸収するという得体の知れない、不気味なもの自体に変貌するということが詩の世界なのである。ここでは水中で歳月を過ごす〈私〉とは何か。水中で自身を食らい尽くして消失しながら目に見えない存在として生きつづける〈蛸〉とは何か。それらが何か別の或るものの言い換え（換喩）だなどと愚かなことを考えるひとは、この不気味な存在そのものが書かれることによって初めて発見され存在する、隠喩として初めて意味づけられイメージ化されたことばとなって、事後の世界にいつまでも生新な意味をもたらしつづけることをわからないひとである。わたしにはタコということばと出会うときはいつでも、朔太郎のこの〈死なない蛸〉のイメージから逃れることができない。またみずからのからだから滲み出たかもしれない安藤の〈水〉だって、人間のからだの大半が水で成り立っている以上、どこかの部分の漿液のようなものとしていつかわたしのからだを支配することがあるようにも思えてくる。水の中の人間や蛸がもはやたんなる事実存在としてではなく、存在すること自体のおぞましさを伝えてくるとしたら、これらの作品世界は隠喩としてのことばによって、どこにもありえないように思われるが、もしかしたらどこにも至るところにありうるのかもしれない普遍的存在を指し示し、そうしたものが存在する世界を提示していることになるのである。

谷川俊太郎は初期のエッセイ、タイトルもまさしく「世界へ！」のなかできわめて端的にこんなことを言っていた。

> 私が言葉をつかまえることの出来るのは、私が言葉を追う故ではない。私が世界を追う故である。私は何故世界を追うのか、何故なら私は生きている。
> （『谷川俊太郎詩集』一一三頁）

谷川にとって生きるということは〈世界を追う〉ことである。最初からことばを追いかけても、なにも生み出さない。なぜなら未知の世界を追うこと、世界に身をもって分け入ること、そこで見出されたことばに日常的な意味をかぶせてしまうのでなく、ことばそのものが世界へ分け入っていくのを推進すること――それはことばを思いつきのまま垂れ流すのではなく、たえず意味への逆流を怖れることなく、しかしことばの運動を推進していくことでなければならない。このあたりの加減はたしかにむずかしいところではあるが、とにかく既成の意味や価値観にとらわれることなく、ことばを原始人の心性が働くかのように発してみるしかない。それがオリジナリティや発見に充ちたものになるかどうかは、アリストテレスも言うとおり、詩人の才能に帰着するしかないのかもしれないとしても。

以前、〈世界〉ということばは死語だからもはや使えないと言った詩人たちがいた。一九六〇年代末の大学闘争の余塵をかぶった世代にはこういう大仰なことばへの嫌悪感があったのかもしれないし、戦後初期の「荒地」派をはじめとする〈戦後詩〉世代の想像世界にも映発していた世界像にたいするいたずらな反撥が或る世代に蔓延しただろうことも理解できるが、なんともミニマムな世界への引きこもりを誘発したことか。それがいまの現代詩の逼塞した状況の遠因になっているとしたら、ここらでそうした愚かな自縄自縛からみずからをそれこそ世界へ解き放つべく、あらためて広い世界への窓を開いてみたらどうだろうか。

ことばが世界とじかに対峙するとき、すなわち詩人が原始人の心性のままに既成の意味をとりはらってまっさらな世界と対峙しようとするとき、ことばは豊かな感性をとりもどし、新たな発見を見いだせるかもしれない。谷川俊太郎が言う〈言葉で名付ける以前にそこに存在するもの〉とはもちろん錯覚であって、ほんとうは逆にことばが発されることによって初めて生まれてくる世界が、あたかもことばが名づけるまえにあった世界の意味として呼び出されたかのように見えるだけである。その意味が新しい意味となって現われてくるとき、ことばは最初からなにかわけのわからないものを指し示す隠喩としての力を再発見するだろう。そうする以外に新しい詩は生まれない。

そしてこのことは本章の冒頭で触れたように、古代魔術に起源をもつことば＝詩の発生における原始人の心性をもつ詩人の本質ともつながっている。ジャック・デリダは『グラマトロジーについて』のなかでルソーに言及しつつ西郷信綱と同じようなことを指摘している。

叙事詩であれ抒情詩であれ、物語であれ歌であれ、古代の音声言語《パロール》は必然的に詩的である。文学の最初の形態である詩は隠喩的本質をもつ。

(Derrida, *De la Grammatologie*, p. 383.『根源の彼方に　グラマトロジーについて』下巻、二四七ページ)

そのうえでデリダは《言語は根源的には隠喩的である》(ibid., p. 382／同前) と明言するのであるが、このことばそれ自体の隠喩性とは、ことばが世界と初めて対峙するときに〈身分け＝言分け〉的に振る舞うことを指しているにちがいない。詩が書かれるということは、ことばがこの

〈身分け＝言分け〉構造において世界を切り拓いていくことを意味しているのである。

こういう詩のことばがもつ根源的隠喩性の本質理解はわざわざカントに言わせるまでもないが、この論は《尤もらしい仮説として多少の好評を博すればよいというようなものではなくて、いやしくもオルガノンとして用いられて然るべき理論である限り必ず具えていなければならないほどの絶対的確実性を有する》（『純粋理性批判』上、一一二ページ）ものなのである。最初からなにか既成の存在意味にたいする言い換え（換喩）として差し出されることばなどに詩としてどんな新しい可能性があるのか。最初からなにか新たな可能性の探究を放棄した理論にすぎないのではないか。隠喩であらざるをえない詩のことばが対峙し身分け＝言分けしていこうとする当の世界とはそれ自体がすでに巨大な隠喩なのである。

第二章　隠喩の暴力性

哲学の全霊魂が言語論の一滴へと凝縮する。
（『ウィトゲンシュタイン全集8　哲学探究』四四三ページ）

未知のものへの詩的構想力

詩の言語が本質的に隠喩性をもつということが言語そのものの成り立ち上もっとも深い構造に根ざしていることは、詩が発生するさいに、詩人自身以外のどこからも要請がなく、書く内容も方向も定まっていないのに、書くこと（ことば）が発動するという根本的な性格に依っている。もちろん、原稿依頼もあり、おおまかなテーマとか行数が指定される場合もないわけではないが、最終的な決定は（許容範囲内で）詩人にまかされている。詩は書かれるまえから内容や方向が見えているということは原則的にありえない。書きすすめるなかで、無意識がことばを引き寄せ、ときには相前後しながらことばの関係が構築されていく。あらかじめ一定のイメージやモチーフが見えていることはあるだろうが、詩が詩であるためには語調やリズム、イメージのつながりや飛躍、場面転換、修辞的技巧などさまざまな工夫やアイディアの見せ場が必要である。総じて言えば、構成力ないし構想力が必要である。書きはじめるときからそうした全体像が見えているひとは特別な才能や稀な僥倖を除いては存在しない。逆に言えば、あらかじめ設定されたとおりに書けてしまう詩などはなんの発見も閃きもない、すこぶるつまらないものでしかないだろう。

詩は一篇ごとにひとつの作品世界を構築するものである。一字一字、一行一行、書きすすめることによってことばを押し立てながらほとんど手探りで前進していくしかないのが詩という営為である。第一章「世界という隠喩」で書いたように、詩を書く営みは未知の世界へ向けての身分け＝言分け構造的な関係のなかでおこなわれるのである。ことばはそこではもともとっている意味に誘導されながらも、書かれるそのつど新しく世界を切り拓き、そこで見出された新しい関係性のなかで新たな意味をつぎつぎに獲得していく。それは書くことによって初めて発見される意味である。新しく発見された意味は、書くことの事後にあたかもそれをめざしてことばが書かれたかのように出現する意味であって、ことばそれ自体はそれが書かれるさいには世界にたいして投企される未知なるものとしての隠喩として機能せざるをえない。散文における論理的構成のなかではことばはなにものかの代理＝表象として隠喩的に使われることはあるが、詩ではそういう機能をもたない。むしろ詩を書くこと自体がひとつの隠喩的世界の構築であり、個々のことばはその部分でさえなく、それ自体がもうひとつの隠喩として発見的に書かれ、作品全体の構築に参画するのである。

これも序章「隠喩の発生」で書いたように、人類にとって最初の言語は未知のもの、世界の驚異にたいする叫び、驚きの結果として端緒が切られたことばであって、それらはなにものも意味しないか、あるいはそうしたことばによってなにものか未知ではあるが眼前に生起している現象の仮称として提示されたものである。その意味でこれらのことばは未知なるなにものかを指し示す隠喩としてしか存立しえないものだった。《詩人の精神には原始人が棲む》（西郷信綱）と言われるのはこの意味においてであって、いまの詩人が、自分は既成の意味に拘束されておりこうした原初的なことばの感覚にはほどとおいと実感的な異見を述べたとしても、詩人はことばとの出会い、内実化とその表出においてなにほどかこの〈原始人〉の感受性（おののき）を感じないわけにはいかないのではなかろうか。それはことばがひとの手垢にまみれた素材としてではなく、まったく新しい相貌を呈した異形性として感じられ、これまでとはまったくちがう手ざわりをもつ道具として認識されることである。もともとのそのことばの意味は消失するわけではないが、視野と意識のかなたに後退し、ことばそのものが真新しい現象であるかのように出現する。まさに宮澤賢治の『春と修羅』「序」の冒頭はこの認識を端的に表現している。

わたくしといふ現象は
仮定された有機交流電燈の

ひとつの青い照明です

（『校本　宮澤賢治全集第二巻』五頁）

賢治はここでみずからを未知の〈現象〉としていきなり出現させているのである。この〈現象〉が当時の詩においては斬新な科学的ヴォキャブラリーを擁し〈ひとつの青い照明〉として未知の世界へ身を入れていくかたちで詩を出動させたのが『春と修羅』の劇的な新しさとなったのである。

詩のことばの暴力性

詩はことばのパッションである。詩はことばのセンサーが未知の領域をくまなく検索し、探究するにまかせる。ことばはそのとき詩人の手と意識から遊離し、それ自体が隠喩そのものとなって自立的な運動となる。もちろん、そこに詩人の関与性が皆無になってしまうというわけではないが、書き手としての詩人はどちらかと言えば霊媒者、せいぜいのところ事件の監視人もしくは目撃者、といった位置に引き下がる。ことばが何を語り出そうとするのか、ことばの自己運動がどのように、どこまで展開していくのか、詩人はことばに憑依した運動が収束するまで自身は自動筆記装置と化すほかはない。その後に反省的にその運動の軌跡をたどりなおすことになって、いくばくかの加筆修正がなされて一篇の詩として「完成」することに手を貸すとしても、そこでくりひろげられたことばの修羅場は原型をどこかに残すことになるだろう。そこには既成の価値観、散文的な論理の強制力などは斥けられている。一篇の詩を書くということはそういうことである。

だから詩を書くことはパッションのもうひとつの意味である受難でもあるだろう。詩を書くことはことばの惨劇の後始末をつけることになる。ことばは手の切れるような尖端が振り回されているかぎり、どこに接触し着地するかわからない。このことばの暴力性、ことばのエッジを切りつける行為こそが詩の営為であるとしたら、詩のことばは既成の世界を攻撃し、破壊し、解体しようとさえするだろう。世界の秩序を維持しようとする既成勢力にとって詩がその意味で警戒され忌避されるのはむしろ当然であり、詩の栄誉であることになるわけだ。言語は世界の保守のための道具ではなく、詩がそのもっとも典型であるべきであるように、既成の秩序にたいする異物、危険物として存在するための絶対的な武器なのである。ことばの隠喩性とは言語発生のさいの本質であったことはこれまでも何度も述べてきたとおりだが、その言語が散文的使用によってそのエッジをすり減らされてきている現状では、詩がことばの原初的なエッジをあらためて研ぎすまし、たえず新たな世界の構築をめざしていくのは当然ではないか。既成の詩の書法のなかで自足的な微温的な詩を書くことも、あるいはなにものかの言い換えとしての換喩を詩を書くことの原理に据えるなどということも、こうした詩のパッションの頽廃した姿にほかならない。

詩を書くことはことばをめぐるたえざる探究でなければならない。それはパッションをともなうものであるが、ファナティックなものである必要はない。しかしそれは探究を性根をすえて追求することなく、安上がりな解決で妥協してしまうような、カントの言う〈怠惰な理性[☆1]〉の仕事であってはならないのである。

ハイデガーにおける詩と詩人の位置

こうした詩のことばの隠喩的本質の暴力性が詩人の意識を超出してことばのパッションとして作動する状況はもはや詩人を超えたものとなる。詩人はみずからの破壊的行為の本質的意味をよく理解できないのが普通である。ここは同じくことばそのものの専門家である哲学者の揚言を待ってもいいだろう。ヴィーコが言ったように、《詩人たちは人類の**感覚**であり、哲学者たちは人類の**理性**であった》（『新しい学』上、二七九ページ）からである。

そうした哲学者のうちで詩の擁護者のひとりと目されるマルティン・ハイデガーは『存在と時間』第三十四節「現にそこに開示されている現存在と語り　言語」という非常に重要な節で、詩に直接的に触れているわけではないが、詩の言語の問題にとってきわめて示唆的なことを書いている。ここでハイデガーは現存在（＝世界内存在の開示性）にかんする問題意識の展開のなかで言語の問題に手を付ける。

☆1　カントは《われわれが、自然研究の途中で――それがどこであろうとも、――われわれの研究を絶対的に完結したものと見なし、したがってまた理性が、自分の仕事を完全に成就したかのように心得て、爾後の究明を休止するにいたるならば、かかる事態を生ぜしめるような原理は、いずれも怠惰な理性と呼ばれてよい》（『純粋理性批判』中巻三四六ページ）と書いている。

いまやはじめて言語が主題になるということは、言語というこの現象が現存在の開示性の実存論的機構のうちにその根をもっているということを、暗示するはずである。言語の実存論的・存在論的基礎は語りである。

（『存在と時間』二八八ページ）

ここはハイデガー哲学の解釈をする場所ではないので、その実存哲学における〈語り〉の重要な位置づけを確認しておいてもらえばいい。同じように《世界内存在の情状的な了解可能性は、語りとしておのれを言表する。この了解可能性の意義全体が語となってあらわれてくる。》（同前二八九ページ）という箇所のハイデガー固有の言い回しのなかでわれわれ現存在の〈語り〉が〈語〉（＝ことば）となって言表されるという構造になっていることもおさえておいてもらうだけでいい。なお、ここで〈語り〉とは言説という程度の意味でとらえておこう。さらにハイデガーは言う。

語りが外へと言表されたとき、それが言語となる。このようにして、言語というこの語全体性は、語りがそのうちで或る固有の「世界的」存在をもっているものなのだから、世界内部的存在者として、道具的存在者のように眼前に見いだされるにいたる。（中略）語りは実存論的には言語なのだが、それというのも、語りがその開示性を意義に適合して分節する存在者は、被投され「世界」へと差し向けられた世界内存在という存在様式をもってい

るからである。（同前）

ここでハイデガーが言うのは、言語は〈道具的存在者〉として世界の内部に介在し、一方、〈語り〉を有意義に分節していく存在者（＝人間）はその〈語り〉をつうじて〈世界内存在〉という存在様式を獲得する、ということである。ひとは言語を実存論的・存在論的に用いることによって語る人間としての立場に立つことができるのである。ハイデガーの言説を追ってみよう。

何かに関してのすべての語りは、語られたその語りの内容という点で伝達するのだが、同時に、おのれを言表するという性格をもっている。語りつつ現存在はおのれを外へと言表するのである。（同前二九一ページ）

つまり〈語り〉とはコミュニケーションの道具としてだけでなく、それ自体がひとつの表現として自立するということであり、それを語る人間は世界内存在という存在様式を超越して外部化されるということである。これはほとんど詩と詩人のポジションに該当するのではあるまいか。実際、ハイデガーはこのあとで詩作的な語りに触れていくのである。

語りには情状的な内存在の表明が属しているのだが、そうした表明の言語上の指標は、音声の抑揚や転調のうちに、語り方のテンポのうちに、「発言の仕方のうちに」ひそんでいる。情状性の実存論的な諸可能性の伝達、言いかえれば実存の開示は、「詩作的な」語りの固有な目標になりうる。（同前）

ここで〈情状性〉と言われている概念は、ハイデガーの定義によれば、《最も熟知で最も日常的なもの、つまり、気分とか、気分的に規定されていること》（同前第二十九節、二五一ページ）ということで、引用文中で言えば、〈音声の抑揚や転調〉〈語り方のテンポ〉〈発言の仕方〉といったものに該当する。これは〈「詩作的な」語り〉がもつひとつの指標とも言えるものである。おそらくハイデガーが『存在と時間』のなかで詩に触れた唯一の箇所がここではないかと記憶するが、つぎのハイデガーのことばは詩と詩人が本質的に立地する場所を決定的に明らかにしていると思われる。

人間は、語る存在としておのれを示すのである。このことが意味するのは、声に出して口外する可能性が人間には固有であるということではなく、人間というこの存在者は、世界と現存在自身とを暴露するという在り方において存在するということなのである。

（同前二九五ページ）

もちろん、ここで〈人間〉とは詩人と読み換えられていいし、〈世界〉とは詩と読み換えられていいのである。詩人が〈語る存在〉としてみずからを暴露された現前性として世界と対峙するなかで詩という暴力装置が発動するのである。

ハイデガーはもっとあとになるとことばと詩の問題についてほかのどんな哲学者よりも多くわかりやすいことばで言及するようになる。ついでにハイデガーのことば―詩―詩人についての言説をざっと確認しておこう。たとえば「ヘルダーリンと詩の本質」のなかでことばの存在論とも言うべき論が展開されている。

> ことばは人間がほかの多くのものといっしょにこれもまた持ち合わしているというようなただの道具ではない。ことばがあって一般に初めて存在するものの顕わなる状態のただなかに立つべき可能性が与えられるのである。ことばのあるところにのみ世界がある。（中略）そうして世界のあるところにのみ歴史がある。（中略）すなわちことばは人間が歴史的なものとして存在しうるための保証を与えているのである。ことばは人間の自由に処理しうる道具ではなく、人間存在の最高の可能性を左右するような出来事である。詩の活動領域したがってまた詩そのものを真実に把握するためにわれわれはまずことばのこのような本

質をたしかめておかなければならぬ。

（『ハイデッガー選集3　ヘルダーリンの詩の解明』五五ページ）

そこから詩はことばのこうした存在本質を体現するものとして逆倒され、その本質をきわめるものとして定義されるのである。

詩はことばによる存在の建設である。（中略）詩人が語るということはただに自由なる贈り物の意味で建設であるだけでなく、同時に人間の現存在をその根拠の上に揺るぎなく根拠づける意味でそうである。

（同前六〇ページ、強調は引用者）

ことばがあらかじめ創作材料としてそこに見出されてそれを詩がとりあげるというのではなく、むしろ詩そのものが初めてことばを可能ならしめるのである。詩は民族の根源的なことばである。それゆえに逆にことばの本質が詩の本質から理解せられねばならぬ。

（同前六二ページ）

詩のことばの始原性がここでは明示され、世界、歴史のなかに〈存在〉は詩のことばによって開示されることになる。

さらにハイデガーはもっとあとのいわゆる『ヒューマニズム書簡』のなかで思索と詩作を存

在の本質と結びつけている。

あらゆるものに先立って「存在している」ものは存在である。思索というものは、その存在の人間の本質にたいする関わりを実らせ達成するのである。思索はこの関わりを作り出したり惹き起こしたりするのではない。思索はこの関わりを、ただ存在から思索自身へと委ねられた事柄として、存在にたいして捧げ提供するだけなのである。この差し出し提出する働きの大切な点は、思索において、存在がことばとなってくる、ということのうちに存している。**ことばは存在の家である**。ことばによる住まいのうちに人間は住むのである。思索する者たちと詩作する者たちがこの住まいの番人たちである。これらの者たちは、存在の開示性を自分たちの発語によって、ことばへともたらし、ことばのうちに保存するわけであるから、そのかぎりにおいて、彼らの見張りは存在の開示性を実らせ達成することである。

（『ヒューマニズムについて』一七—一八ページ、強調は引用者）

いかにもハイデガーらしいことばだ。思索にせよ詩作にせよ、ことばは人間を住まわせ、その存在の本質にむけて意味を切り開かせるという働きをすることを指摘しているのであり、この働きこそが隠喩の働きそのものなのである。

ヴィトゲンシュタインと言語の問題

ハイデガーとはほぼ対極的な位置にいると思える哲学者にルートヴィヒ・ヴィトゲンシュタインがいる。[☆2]よく知られているように、論理実証主義などに影響を与え、バートランド・ラッセルなどとも関係の深い分析哲学者であるが、哲学的断章には圧倒的な示唆を与えるものが数多くある。前期の『論理哲学論考』では《4・0031[☆3]　すべての哲学は「言語批判」である。》(一九五ページ)といった断言があり、かれの哲学の基本がこの点にあることは間違いないだろう。後期の言語ゲーム論などへの移行過程でも《私の方法は一貫して言語における誤謬を指摘することにある。私はそのような誤謬を指摘する活動に対して「哲学」という語を用いようと思う》(A・アンブローズ編『ヴィトゲンシュタイン講義　ケンブリッジ 1932-1935 年』九九ページ)などと語っている。そうした問題意識からか、ヴィトゲンシュタインには必然的に言語にかんする考察が多く、わたしのように詩を書くことが世界という未知の巨大な隠喩との対峙であることを意識化しようとしている者にとって、かれの書物は至言の宝庫である。

そのあたりの重要なことばをまず『論理哲学論考』からいくつか抜き出してみよう。

4・116　およそ考えうるものは、ことごとく明晰に考えうる。いい表わしうるものは、ことごとく明晰にいい表わしうる。(一〇七ページ)

☆2　ヴィトゲンシュタインはオーストリア生まれ、のちイギリスへ渡り、ケンブリッジ大学で講義するなど活動をしたので、英語ふうにウィトゲンシュタインとする表記も多いが、わたしは書名などを別にして「ヴィトゲンシュタイン」の表記で一貫している。念のため。

☆3　最初の数字はヴィトゲンシュタインが付けた符号。全七項で小数点以下は断章ごとの関連性を示す。

5.6　わたくしの言語の限界は、わたくしの世界の限界を意味する。（一六八ページ）

この断章「5.6」に下位項目として関連づけられた断章に

《5.61　……思考できぬものを、思考することはできない。かくして、思考できぬものを、語ることもまたできない。》

《5.62　……世界とは私の世界である、という事実は、この言語（わたくしが理解する唯一の言語）の限界がとりもなおさず私の世界の限界を意味するという、その点に現われる。》

《5.63　私とはわたくしの世界にほかならぬ。（つまり、小宇宙。）》（以上、一六九ページ）

がある。いずれも言語と自身の世界が同一化され、ある意味ではミニマムなレベルで関係づけられている。前期ヴィトゲンシュタインの極めつけの名文句――《7　語りえぬものについては、沈黙しなければならない。》（二〇〇ページ）に帰着する、言語の極小化と普遍化＝無名化に方向づけられた言語哲学が構築されている。

しかし、わたしの言語の限界がわたしの世界の限界である、というヴィトゲンシュタインの命題は、詩人の発動することばにかんして言えば、ことばによる世界への果てしなき挑戦を呼びかけるもの、とも言えるのではないか。詩人の発動することばは隠喩の根源的働きによって新たな世界を構築しようとすることにおいて世界を拡張する。詩人たる者はことばの冒険をつうじて、ときには既成の世界に風穴をあけ、あるいは未知の世界を創造するのである。ヴィトゲンシュタインのテーゼはこうした詩人の本来的な営為にたいして恩寵のことばとなる。

　後期ヴィトゲンシュタインの代表作『哲学探究』は周知のように、前期の仕事を否定し、あらたに〈言語ゲーム〉理論という構想を打ち出している。〈言語ゲーム〉とは、簡単に言えば、チェスのゲームのうちには決められたルールがあり、それに従うかぎりにおいて対戦者がプレイするように、すべて言語がかかわる領域にはそれぞれのルールが設定されていて、そのなかで言語が展開されるのであり、その外部では意味をなさないという理論である。これは〈ゲーム〉という軽妙な名称に惑わされなければ、詩の言語世界においても成立する原理と言ってもいい。詩人の営為はことばというパイを使って世界というゲームのなかで詩のことばを打ち込んでいく営みだと言えないこともないからだ。そこでは詩というゲームがあらかじめ隠喩的世界として設定されている。ことばが書かれることがおのずから詩として成立するという約束事の世界になっている。詩人は詩を書くという〈言語ゲーム〉に参加することによってそのことばを詩のことばとして定着させることができる。普通にみえることばがオセロゲームのように反転して詩のことばとなるのである。本質的な違いがあるとすれば、言語ゲームは規則（ルール）の領域だが、詩はことばの本質に根ざしているということだ。

　ヴィトゲンシュタインの意図はどこにあるのか。

その〔思考の〕本質、〔すなわち〕論理はひとつの秩序、しかも世界のア・プリオリな秩序、ないしは世界と思考に共通でなくてはならないような可能性の秩序、を描き出す。しかし、この秩序は最高に単純でなくてはならないように見える。それはすべての経験に先立っており、全経験を貫き通っているのでなくてはならない。

（『哲学探究』、『ウィトゲンシュタイン全集8』九三―九四ページ）

詩のことばはまさにこういう世界秩序、単純で、先験的に思考の経験と論理に貫かれた強固な世界秩序にたいして、それにもまさる強度のことばでもって対峙することが求められているのかもしれない。後期ヴィトゲンシュタインの〈言語ゲーム〉理論のなかで、世界という意味は『論理哲学論考』の時期とは見かけとちがってそれほど変質していないのではないかと思える。たとえば、『論理哲学論考』にはこんな断章もあるからだ。

6.41 世界の意味は世界を越えたところに求められるにちがいない。世界のなかにすべてはあるがままにあり、生起するがままに生起する。（後略）

（一九五ページ）

ヴィトゲンシュタインにならって、詩を書くことは世界を超えたもうひとつの世界に意味を求めるものだと言ってもいい。世界はすべてのものを領有するとともに、そのなかのものに自由を与えるのだが、詩人はそうした狭い世界の共同性の枠の中にとどまることができない。ヴィトゲンシュタインの言うように、《世界とは私の世界である、という事実は、この言語（わたくしが理解する唯一の言語）の限界がとりもなおさず私の世界の限界を意味する》のならば、このことばの限界をどこまでも超えてみせようとするところに詩人のもくろみと存在理由があり、詩を書くことは、ことばが隠喩としてしかみずからの力能を発揮することができないぎりぎりの限界点においてこの強固な世界の限界を打ち破り、そこから脱出しようとするその暴力性において新たな世界を脱構築することなのである。

　われわれはいまやヴィトゲンシュタインの意図を超えて詩のことばが世界という未知の巨大な隠喩にむかって、ことばの隠喩性を自覚しつつ詩を書くことを再始動しなければならない。

第三章　隠喩の創造力

ある宣教師がアフリカの信徒たちに、裸で歩き回ることをとがめた。〝じゃあ、あんたは、自分はどうかね〟と彼らは宣教師の顔をゆびさして言った。〝あんただって裸のところがあるじゃないか〟。〝ええ、でもこれは顔ですよ〟。すると原地人たちは言い返した。〝そんなら私たちのところじゃあ、身体じゅうが顔なんだ〟。詩の場合も、すべての言語要素は詩的発話という文彩に転換されるのである。

（R・ヤコブソン「言語学と詩学」、『一般言語学』二一二ページ）

詩の批評の意味

ここしばらくわたしが一貫して追求しているのは、詩を書くという選択がどうして発現したのか、ことばのひとつのかたちでしかない詩という形式のもとで、ことばを書きつらねることにどういう希望が（あるいは欲望が）見出されるのか、すなわち詩ということばのかたちは何をめざしているのか、といったもっぱら実践的な立場から考察をすすめることである。詩的言語について、詩的修辞の解釈についての議論は掃いて捨てるほどあるが、詩を書く実践の立場からこうした議論を原理論的に展開している者はまずいない。詩時評のようなものはあるが、それらはいずれもすでにできあがったものにたいする後付けの批評であって、これはこれで有用な作業ではあるが、あくまでもその時点において限られた対象に即して展開される応急の議論である。また、言語学、修辞学、さらには哲学においても同様で、緻密な分析や解釈に参考になるべきものは多々あるが、それも詩を書く者にとっては事後の問題であり、隔靴掻痒の感は否めない。詩はなぜ書かれるのか、なにゆえこのことばであってあのことばではないのか、このフレーズはどうして呼び出されたのか、ことばの連続と断続はどうしてこうなっているのか、などと考えていけばきりがない。ことばの即自性、アクチュアリティこそが問われねばならないのである。

これはそもそも無謀な企てなのだろうか。よく言われるように、俳句や短歌の場合とちがって、現代詩においては定型律もなければ、一篇の詩の長さという制約もない。現代詩は書き始めるまえになにごとも設定されていないところにこそその自由の根源があり、そのことが同時に現代詩を書くことの困難、そして現代詩を理解することのさらなる困難を招来しているのである。詩は誰にでも書けるという暴論をあえてする者もときにいて、そういう面もないわけではないが、そんな単純なものでもない。たしかに詩は詩人たちの無意識やことばのおのずからなる連鎖的な自己展開力に依拠して書かれてしまうものであるからそう思われてしまう面があるかもしれないし、より自覚的に統御されたことばの運動でもあるかもしれない。後者の場合が本来わたしの考察の対象になるべき事態であるが、ことはそう単純に解決できる問題でもない。詩が、とりわけすぐれた詩が生まれるには、書き手の無意識のなかに呼び覚まされることばの本源的可能性がどこまで書き手の意識に統御されるのかが問われねばならないからだ。

詩とは事前に決定されている何かを叙述したり説明したりするものではなく、まったくの白紙の上にことばがなにものか世界の新しいイメージをつくりだしていく隠喩的言語行為である。凡庸な詩人たちがなにかと言いたがるように、「隠喩とは詩の重要な技法のひとつであり、長いあいだ、ある人びとにとっては詩の必要不可欠な要素、さらには詩の本質とすら考えられてきた文彩である」などと安易に整理したつもりになっても、そこからは生産的なものはなにも出てこない。詩は書かれるそのつど生成してくることばの暴力的発動であり、それはことばの先端が未知の世界に触れようとして発光している隠喩的創造行為であるからだ。言語学者が言うようには、詩は規定のコードにのっとって書かれたメッセージなどではない。詩はあらかじめ与えられた題目などではなく、むしろそのつど獲得すべきコードの発明／発見をともなう未知の言語行為なのだ。詩は詩でしかない、そこにこそ問題のむずかしさがある。

それでは何が詩なのか。詩はことばのある連続性であり、詩人によって統一された志向にもとづいたひとつのまとまった形である、ととりあえず言ってみる。しかしその価値は詩人自身によっては決定されることはない。もちろん、書き手がその形でどうしても書いてしまいたい個人的事情があって、書くことによって自足することができる場合もままあることは事実である。たとえば親しい者への追悼であったり、なにか決定的な認識の発見といったケースである。しかしそうした場合をふくめても詩としての価値は、他者に読まれ、感動を与えるなどという経験のかたちをつうじて価値づけられることによってしか決定されることはない。それが場合によっては同時代ではなく後世において価値づけられることも稀ではない。その詩独自の言語構造の解読コードが見出されたとき、詩は新たに発見されるからである。もちろん詩史的にはその逆もある。よく読まれ人口に膾炙した詩であっても時代とともに古び、よくて詩史のなかに名前を残すことがあっても誰ももはや読むことはない、といった場合がそれである。いずれにせよ、詩とはそうした価値という当面の効用性の手前ないし埒外において形成される特異な事件であって、それ以外の必要性はもたないという無媒介の行為である。

逆に言えば、そこにこそ詩を書く行為の本質があり、その行為の本質を問う意味もあるはずなのである。

詩を書くこととその詩の評価の問題はこうした複雑な相互行為連関のなかで進行していく。それぞれの詩人にはやむにやまれぬ個人的事情と必然とがあり、その評価は最終的には詩のことばの強度に帰着するところにあるわけだが、詩のことばが書かれる必然性が最終的に問われることになる。いかなる詩人もみずからの生をはなれて切実なことばを吐くことはできないからである。そこが小説のようなフィクションとはちがう詩の固有の問題である。ただ、詩を評価するにあたって注意を要するのは、詩を詩人の実人生と直結させて解釈するのではなく、そこからの離脱や拒否の姿勢もふくめてアンビヴァレントに関連づけられうる意味をとりだし価値づけていく必要があり、それこそが批評の仕事になる。そういう意味で詩人のことばはかならずしも額面通りに受け取るわけにはいかないし、なおかつその自己離反性からさらに深い真相を摘出してみせることも必要になる。

石原吉郎という位置

こうした抽象的な議論は具体的な実例を検討する以外には堂々めぐりに陥りかねない。詩と詩論の関係はつねに実践と理論の相互交通のなかでしか活性化されることはないからである。現代詩の低迷はその意味で詩論の不振にも大きな要因があり、さらにはそのことに気がつかない詩人たち自身の責任でもある。戦後現代詩もすでに七六年の歴史を経て、論ずるに十分なほどの蓄積があり、それを活用しない手はないはずなのである。

そういう意味ではわたしにとって関心をもてる詩人には事欠かない。そのうちのひとり鮎川信夫についてはすでに『単独者鮎川信夫』でひととおり論じておいたので、ここではもうひとりの詩人の詩について探究していこう。

その意味で、そのことばの強度と深さにおいてひときわ異彩をはなっている詩人として石原吉郎を挙げないわけにはいかない。すでに郷原宏『岸辺のない海　石原吉郎ノート』（未來社、二〇一九年）、細見和之『石原吉郎――シベリア抑留詩人の生と詩』（中央公論新社、二〇一五年）をはじめとする多くの詩人論が書かれている石原についてわたしがいまさら新しい評伝のようなものを書く必要もそのつもりもない。しかし、極寒の地シベリアで八年にわたって苛酷なラーゲリでの抑留生活に耐え、帰国後の親族もふくめた社会の冷たい反応のなかで、みずからの存在理由を厳しく問い直した石原の詩のことばがもつ、現代詩でも例をみない哲学的存在論的迫真性はいまでも強烈なインパクトをもってわれわれに、みずからの存在とは何か、といった問題をつきつけてくる。

そこにあるものは
そこにそうして
あるものだ
見ろ
手がある
足がある
うすらわらいさえしている
見たものは
見たといえ

（詩「事実」前半部、『石原吉郎全集Ⅰ　全詩集』九―一〇頁）

余計な形容語のない、この切り立ったようなことばの簡潔な発語は詩人の身体の奥深くでうずいていた存在への渇望と、それへの至りえなさとでもいったものを刻印している。「事実」という単刀直入なタイトルが示唆しているのは、この存在それ自体の事実をまずは確かめるところからしかみずからの詩を始めることができなかった石原の内心の凝縮された表出以外のなにものでもない、ということである。それは詩によってしかみずからの実存を確認することができなかった追いつめられた詩人のおそろしいまでの孤独と不安の表象である。まずは「見る」ことから自己という肉体存在にたいして命令するのである。

どこへ逃げて行くのだ
やつらが　ひとりのこらず
消えてなくなっても
そこにある
そこにそうしてある
罰を忘れられた罪人のように
見ろ
足がある
手がある

そうして
うすわらいまでしている

(同前、後半部)

ここで〈やつら〉と呼ばれているのは具体的にはソヴィエト・ラーゲリの残忍な看守かもしれないが、すくなくとも詩のイメージとしては自分を抑圧する敵の存在と設定しておいていいだろう。〈罰を忘れられた罪人〉のように自身を表象することも、そうした不断の管理体制のなかであたかも〈罪人〉のように位置づけられた、悪夢のような自身の存在規定から脱却することが切に望まれていることを示している。〈見ろ/足がある/手がある〉と自身の手足を再確認することでこのトラウマとなった拘束からおそるおそる逃れ出ようとしている石原がここにはいるのである。[☆1] ラーゲリと帰国後の日本でのセカンド・レイプとも呼ぶべき「シベリア帰り」への精神的虐待のなかで、石原の詩のことばは、それが何を意味するかを白紙の状態で世の中に提出される、新しい世界への隠喩的言表以外のなにものでもない。ここにあるのはもっとも単純で始原的なことばの提示であって、その意味をまさぐるようにみずからの身体を世の中に再接続しようとして発語されることばの切実さなのである。

石原吉郎は、周知のように、一九五三年、三八歳になって日本に帰還し、それからまもなく『文章倶楽部』(『現代詩手帖』の前身)への詩「夜の招待」の投稿によって、選者であるそれぞれ年下

☆1 この〈足がある/手がある〉というフレーズに萩原朔太郎「死」への剽窃ならぬ「同調」または「影響」を、先に書名を挙げた郷原宏(『岸辺のない海 石原吉郎ノート』九八頁)も細見和之(『石原吉郎——シベリア抑留詩人の生と詩』一〇七頁)も指摘している。

の谷川俊太郎と鮎川信夫によって特選扱いで評価され、そこから現代詩へ参入することになるわけで、当然のことながらシベリア詩篇とも呼ばれるラーゲリでの日常＝非日常をテーマとする詩篇もふくめてすべての詩は戦後の帰還後に書かれたものである。一九六三年に四八歳になって第一詩集『サンチョ・パンサの帰郷』（思潮社）にまとめられるまでの石原の詩業にはこうした実存の危機をことばそれ自体によってのりこえようとする鬼気迫るものがあると言っていい。

わかったな　それが
納得したということだ
旗のようなもので
あるかもしれぬ
おしつめた息のようなもので
あるかもしれぬ

（詩「納得」冒頭、『石原吉郎全集Ⅰ』七―八頁）

この詩などはいきなり〈わかったな　それが／納得したということだ〉という切り口上ではじまり、〈それ〉が何であるかが最後まで明らかにされないままに〈納得〉という心理的事態が断定される。その喩えが〈旗のようなもの〉〈おしつめた息のようなもの〉であると直喩として提示され、このあとさらに〈樽のようなもの〉〈根拠のようなもの〉とさらにダメ押しされていくのだが、いったい何の喩えになっているのかこれだけではさっぱりわからない。比喩の技法としては直喩のかたちをとっているが、喩えられている〈それ〉が何であるかが明示されないのだから、じつはこの直喩はそれ自体としてなにも意味しえないのである。だから最後までこの詩の意味するところはわからないと言っていいのだが、ここで断言される〈納得〉という心性だけがなにかしら石原の精神を圧迫する力にたいする心的防禦の機制を暗示する。しかしわれわれはこの作品の切迫感の内実を超えて「納得」させられてしまう気迫が感じられるのではなかろうか。

そしてこのことばの威力こそ意味規定を超出することばの隠喩的創造力なのである。石原のすぐれた言語隠喩的達成は詩という形式以外ではまったく実現不可能なものである、と言ってよい。これを散文的に言い換えることは意味がない。たとえば言語行為論の哲学者ジョン・サールは《隠喩はパラフレーズ不能である。それは、聞き手が発話を了解してゆくなかで明らかになってくる意味内容を、隠喩表現を用いずに再生することはできないからである》（J・サール「隠喩」、『創造のレトリック』一三八ページ）と正しく指摘している。

詩集『サンチョ・パンサの帰郷』の冒頭に置かれた「位置」（『石原吉郎全集Ⅰ』五頁）という詩はその意味で、石原吉郎という詩人の存在論的〈位置〉をおのずから啓示する決定的な作品である。短いので全文引用しよう。

しずかな肩には
声だけがならぶのでない
声よりも近く
敵がならぶのだ
勇敢な男たちが目指す位置は
その右でも　おそらく
そのひだりでもない
無防備の空がついに撓《たわ》み
正午の弓となる位置で
君は呼吸し
かつ挨拶せよ
君の位置からの　それが
最もすぐれた姿勢である

ここでも簡潔なことばで研ぎ澄まされた世界はすべて隠喩の重層的世界となっている。〈しずかな肩〉に〈声だけがならぶ〉のではなく、〈敵がならぶ〉。〈勇敢な男たち〉とは誰のことか。〈無防備の空〉はどう撓むのか。〈正午の弓となる位置〉とはどんな位置か。そこから誰に〈挨拶〉するのか。厳密に言えば、散文的にパラフレーズしようとしてもわからないことだらけである。わかることは石原がこの詩を「位置」と名づけ、なにやらその位置が最終的に自分を立たしめる唯一の可能性であり、そこでしか生きることのできない位置であることを〈最もすぐれた姿勢〉として確認していることである。〈敵〉とはここではかならずしもラーゲリの看守たちばかりではない。おそらく看守たちの命令に返答する囚人の声よりも近くにいるのは、まさしくこの囚人たちそのものだからである。囚人たちが〈敵〉になるとは、五列に整列する囚人の隊列の中で真ん中の三列だけが安全な位置だからであって、この位置をめぐる争いが〈敵〉を生むからである。このことの証明として石原のエッセイ「ペシミストの勇気について」から以下のよく知られた部分を引用しておかなければならない。

作業現場への行き帰り、囚人はかならず五列に隊伍を組まされ、その前後と左右を自動小銃を水平に構えた警備兵が行進する。行進中、もし一歩でも隊伍を離れる囚人があれば、逃亡とみなしてその場で射殺していい規則になっている。警備兵の目の前で逃亡をこころみるということは、ほとんど考えられないことであるが、実際には、しばしば行進中に囚人が射殺された。しかしそのほとんどは、行進中つまずくか足をすべらせて、列外へよろめいたために起っている。厳寒で氷のように固く凍てついた雪の上を行進するときは、とくにこの危険が大きい。なかでも、実戦の経験がすくないことにつよい劣等感をもっている十七、八歳の少年兵にうしろにまわられるくらい、囚人にとっていやなものはない。彼らはきっかけさえあれば、ほとんど犬を射つ程度の衝動で発砲する。／犠牲者は当然のことながら、左と右の一列から出た。したがって整列のさい、囚人は争って中間の三列に割りこみ、身近にいる者を外側の列へ押し出そうとする。私たちはそうすることによって、すこしでも弱い者を死に近い位置へ押しやるのである。ここでは加害者と被害者の位置が、みじかい時間のあいだにすさまじく入り乱れる。

（石原吉郎『望郷と海』一一八頁）

このすさまじいまでの人間のエゴイズム、自己中心主義、自己防衛本能の記述を読めば、いくらかは詩「位置」の解読に寄与するところがあるだろう。〈勇敢な男たちが目指す位置は／その右でも　おそらく／そのひだりでもない〉というのはそうした隊列の中での陣取り合戦に参加しようとしない者の行動を指している。その者が鹿野武一という人間であることは石原の読者なら知らぬ者はいないだろうが、そのことはいまはおく。すくなくともこうした人間の惨劇のなかで無防備なのは空ではなく自分たち囚人であるのだが、そうした白昼の惨劇がいとなまれる場所で太陽は弓のように反りかえって見えたのかもしれない。石原が〈位置〉ということばにこめたニュアンスは、まさにこの惨劇のなかで自分の位置をどうとるべきなのかをそれこそ精神の実存的危機のなかで何度も反芻してきた存在論的問題意識を背景にもっていたはずである。だからこそ第一詩集の劈頭にこの詩をおいたことには深い道理があるのである。それはまさしく帰国後の日本においてもみずからの〈位置〉を収容所と同格に考えていたことのなによりの証左ではないだろうか。ラーゲリ体験を同じようにもつ内村剛介が石原に一貫して批判的だったのは、石原にはシベリアでの失語体験がなく、《石原にとって失語があったとすれば、それはジャパンの日常のなかでの失語》（『失語と断念　石原吉郎論』二〇一頁）であると言っているのは、石原にとってことばの真の危機がおとずれたのは戦後日本で詩を書こうとするときがじつは初めてだったということにほかならない。シベリア体験は書くことによってあらためてその危機の内実に直面したのである。それは詩のことばの裸形性が孕む、ことばというものの隠喩的切開力がどうしようもなく事の真相を示してしまう事態が石原に〈シベリア〉の意味を開示したことにほかならない。

　この存在論的危機の問題はほかの詩篇をのぞいていくだけでもいくらでも確認することができるが、ここは石原吉郎論を展開する場所ではない。最後にもっとも石原らしい倫理性をもつと思われる詩を一篇みておきたい。

　花であることでしか
　拮抗できない外部というものが

なければならぬ
花へおしかぶさる重みを
花のかたちのまま
おしかえす
そのとき花であることは
もはや　ひとつの宣言である
ひとつの花でしか
ありえぬ日々をこえて
花でしかありえぬために
花の周辺は的確にめざめ
花の輪郭は
鋼鉄のようでなければならぬ

（詩「花であること」全文、『石原吉郎全集Ｉ』一一二―一一三頁）

まさにここに石原が〈花であること〉という隠喩に託したみずからの存在の自己規定が剛毅なまでに〈宣言〉されている。〈花〉でしかない自分という認識と、その〈花のかたちのまま〉まわりから〈おしかぶさる重み〉にたいして自分を守ることの方法。この詩は第二詩集『いちまいの上衣のうた』に収められたものだが、ここで石原の詩の方法はみごとなまでに完成していることがわかる。このころのノートで石原は書いている。《大事なことは詩を理解することではなくて、詩を書くことであり、他人の詩を理解することではなくて、自分の詩を書くことである。》（「一九五九年から一九六二年までのノートから」の一九六〇年九月四日の部分、『望郷と海』二五八頁）

石原吉郎にとって詩を書くことはみずからの全存在を賭けての挑戦であったということがわかる。だからこそ同じノートの一九五九年六月五日のところで、《私は〈無意味〉ということに本能的に反撥する。意味がないままで終るということには本能的に耐えられない》（同前二四八―二四九頁）と書いているのを読むと、晩年の石原が相当に追いこまれていたことが痛いほどよくわかる。石原はある時期から初期の完成度の高い作品を自己模倣するようなかたちでしか詩を書きえなくなってきていたからである。このことにかんしてわずかに例を挙げてみよう。

きみの右手が
おれのひだりを打つとき
おれの右手は
きみのひだり手をつかむ
打つものと
打たれるものが向きあうとき

左右は明確に
逆転する
わかったな　それが
敵であるための必要にして
十分な条件だ

（詩「背後」、『石原吉郎全集Ⅰ』二二六頁）

もうこれだけでも十分だろうが、ほかにいくつか挙げておくとすれば、〈悲しみはかたい物質だ／剛直な肩だけが／その重さに拮抗する／拮抗せよ／絶えず拮抗することが／素手で悲しみを／受けとめる途だ〉（「物質」後半、同前二二八頁）、〈その右側の葬列のため／ひたすらに　そのひだりがある〉（「右側の葬列」冒頭、同前二六二頁）、〈かぎりなく／はこびつづけてきた／位置のようなものを／ふかい吐息のように／そこへおろした〉（「墓・1」冒頭、同前二六三頁）といった具合だ。ここに石原吉郎という稀有な詩人がかかえこんだ、詩が人間存在の全的な裸出性にほかならないことと、その詩がことばの先端でしのぎを削る危ういドラマとなって顕現しているのをわれわれは深甚な恐怖をもってみつめなければならないのである。そして〈詩がおれを書きすてる日が／かならずある〉（「詩が」冒頭、同前三〇九頁）という予言が実現することになるのはそう遠いことではなかった。いや、厳密に言えば、そうなるまえに石原は自死とも見紛うかたちで事故死しており、大野新は《詩が石原吉郎を書きすてることはなかった。石原吉郎がいのちを書きすてた》（「初源からみる石原吉郎」、現代詩文庫『続・石原吉郎詩集』一五八頁）と書いているのだが、事の真相から言えば、やはり詩が石原を〈書きすて〉たと言うべきなのではなかろうか。

死はそれほどにも出発である
死はすべての主題の始まりであり
生は私には逆《さか》向きにしか始まらない

（詩「死」冒頭、『石原吉郎全集Ⅰ』四五二—四五三頁）

晩年の石原は死の美学に魅入られたところがある。この詩にみられるように、生と死が逆転しているところがあり、詩を書くことが生きることであるという石原にとっては、石原が命を書きすてようが、詩が石原を書きすてようが、じつは同じことなのかもしれない。詩に命をかけるということがいささか常軌を逸しているように思われるとすれば、それはそう思うひとのほうが人生においてじつはなにものにも心を傾けたことがないことを告げているにすぎない。石原吉郎のように、数奇とも言える生涯をみずからの意に反して送らざるをえなかった者にとってはなおさら、みずからの命の代償として詩のことばが選び取られたことには余人にははかりがたい葛藤があったと言うべきである。

予定を超えて石原吉郎の詩について書いてしまった。それだけこの詩人の詩は言語隠喩論の立場からみても興味深い問題が多く、読解することが魅力的だということでもあろう。石原は本質的に隠喩的な詩人なのであって、すぐれた詩あるいは詩人にはこうした側面がかならずあることの一例にすぎない。しかし、ここでは詩のことばはもちろん、言語一般の隠喩的創造力の問題にたちもどらなければならない。

現代詩のなかの隠喩論

詩人が詩を書くという選択をするにあたってどういうきっかけがあるのか、というのはつねに謎である。それぞれの詩人にそれぞれの理由があると言ってしまえばそれまでだが、そこに共通の動機があるはずである。詩のことばはあらかじめ明確な目的をもって書かれるわけではなく、小説や評論のように書くべきテーマや方向性がある程度みえたところで、さてどう書くか、どう書きはじめるかと考えることがそのまま書くことにつながるような種類の書法とはちがって、詩の場合はどう書きはじめるのかがすでにしてあてのない漂流の始まりであり、書き進めていくことはこの漂流のさらなる混迷の持続であり、どこまでいったら終わるのか先が見えないことばの直接性＝即自性の運動である。小説だって詩だってことばにかかわることに変わりはないというのは横着な議論であって、小説のなかにも隠喩的な表現がいたるところに出現しているではないかというのとは、話の次元がちがうのである。わたしに言わせれば、詩を書くこと自体がすでにことばの隠喩的世界そのものを選択することであって、そのなかでそれぞれのことばの機能がより隠喩的だったり換喩的だったり叙述的だったりするにすぎない。いわば喩の構造が二重化しているというか、二段階になっているといったほうがいいかもしれない。

じつはこの喩の構造の二段階説については、すでにあまりにも若書きながら、わたしは「構造としての喩――現代詩にとって〈喩〉とはなにか」（『現代詩手帖』一九八六年九月号、のち『隠喩的思考』に収録）という詩論を書いたことがある。そこではヌーヴェル・クリティックの驍将ジェラール・ジュネットの図式に依拠して、通常のシニフィアン（能記）―シニフィエ（所記）の記号作用自体がもうひとつのシニフィアンを形成し、それに対応する新しいシニフィエがもうひとつ上位の記号作用であるレトリックの作用を受けて新たな文彩化された意味を獲得すること、それがすなわち詩である、というやや生煮えな図式を展開したところで終わっている。ただそこで言わんとしたことは、詩の言語構造というのは日常言語のレベルとは異なっていること、ことばとその意味するものの関係それ自体が意味するところこそが問題である、ということである。詩において書かれていること自体の意味は、それがどういう文脈のもとに書かれたのかという意味づけなしには詩としての意味をもたないのである。そういう点で、詩とは言語の働きそのものに強い関心をもつ営みであることをもっとはっきりと主張しておくべきであった。

そんなわたしの隠喩論はこれが発表された当時も、単行本に収録されたあともほとんど無視された。それはいまの現代詩の状況とあまり変わりはないのだが、そんななかですこしまえに野村喜和夫が『哲学の骨、詩の肉』(思潮社、二〇一七年)のなかの、それも唯一わざわざ書き下ろされた「そして隠喩の問題に辿り着く」という終章のなかで、どういう風のふきまわしか、わたしのこの本に触れている。野村はわたしの文章を引きながら《「それ(=詩)はいわば欲望の言語であるといっていいが、私見によればこの欲望をうみだし支えているものこそ隠喩という、けっしてすたれることの原理上ありえない言語的快楽なのだとひとまず言っておこう」とつつましやかながら力強く隠喩の擁護を打ち出す。なぜ「すたれることの原理上ありえない」[☆2]かといえば、言語そのものが本質的に隠喩的であるからだ》(二四三—二四四頁)とここでは的確にわたしの論を踏襲している。もうすこし先のところでは、《隠喩とはこうして、レトリックとしてのたんなる転義的比喩ではなく、そもそもの始めから言葉を言葉たらしめているところの、意味のゆらぎやずらし、そしてまた言葉と言葉の関係における内的な、あるいは微分的な差異の生成ということにもなる》(二四五—二四六頁)などとも書いていて、隠喩にたいして一定の理解をしめそうとしているが、わたしの言語構造それ自体としての隠喩という観点には遠く及ばない。これまで隠喩全面否定論だったはずの野村が掌を返したようにこんなふうに書いても、半信半疑というのがわたしの率直な感想である。そこからすぐ、隠喩から換喩への流れなどという無原則な観点に移行してしまうところを見てもわかる。引用のすこしまえでわたしを《ポストモダン期の詩論の書き手》(二四三頁)などと不当に貶めようとしているくらいだから、

☆2 引用文中の「」内は野沢啓「戦略と/の欲望——一九九一年詩壇展望」、『隠喩的思考』三四頁からの引用。

どうも信用できないのである。もっとも、骨のない（ソフトな）批評を真骨頂とする野村の言だからこそ悪意にも愛嬌があるのだが。

詩と言語哲学のかかわり

それはともかく、二十世紀前半の英米圏での隠喩論の再興に寄与したI・A・リチャーズはことばについて明解な発言をしている。

ことばは、感覚や直観というかたちでは結合しえない経験の諸領域の集合点です。ことばは、自らを整理しようとする心の果てしない努力のあらわれである生長の機会であり、手段でもあるのです。これが、われわれが言語をもつ理由です。

（I・A・リチャーズ『新修辞学原論』一二一ページ）

引用したリチャーズの本の原題は『レトリックの哲学』（*The Philosophy of Rhetoric*, 1936）であり、二十世紀に復興した新しい修辞学の歴史のなかで先駆的でいまなお有効な仕事である。このことばの経験をめぐる理解のうちにもリチャーズの言語意識の高さが現われており、人間が言語をもつことの意味とその豊かさへの関心が言語それ自体への内省を導いたのだと言える。ことばの豊かさを知れば、それがどういう構造と使用によって実現しているのかへと興味が移動していくのは必然的ではなかろうか。

ところが言語学者のなかにはこうしたことばの豊かさを拡張的に理解し享受していこうとすることを愚直なまでに拒否ないし軽視しようとするひとがいる。言語行為論、とりわけパフォーマティヴ理論でよく知られるJ・L・オースティンである。かれは主著『言語と行為』のなかでこんなことを言っている。

> 問題の行為遂行的発言は、まさに発言であるがゆえにすべての発言を汚染する別種の災禍をもまた被ることになる。……この災禍という語で、私は、たとえば、次のようなことを考えているのである。すなわち、ある種の遂行的発言は、たとえば、舞台の上で役者によって語られたり、詩の中で用いられたり、独り言のなかで述べられたりしたときに、独得の仕方で実質のないものとなったり、あるいは、無効なものとなったりするというような種類のことがらである。……そのような状況において言語は、独得な仕方で――すなわち、それとわかるような仕方で――まじめにではなく、しかし正常の用法に寄生する仕方で使用されている。この種の仕方は言語褪化（*etiolation* of the language）の理論というべきものの範囲のなかで扱われるべき種類のものであろう。
>
> （『言語と行為』三七―三八ページ）

およそ言語学者とは思えないほどひどいことを言っている。日常言語学派と呼ばれるだけあって、言語の通常的用法（と信じられているもの）だけが言語学の対象であって、劇中言語や詩の言語はそれから逸脱した、まじめでないもの、「褪化」したもの、寄生的なものだと規定しているのである。これまでも書いてきたように、言語の発生からその後の言語の発展まで、言語はたえず新しいことばとその意味の発見、開発、精錬につとめてきたのであり、日常言語とはそれらが慣用化し定着しただけのものにすぎない。だからここではことばの「通常の意味」とそれ以外の「逸脱した、まじめでないもの、『褪化』したもの、寄生的なもの」という関係は本末転倒した言い方である。デリダがこの部分をとりあげて、むしろそうした〈非日常的言語〉――デリダはこれを《一般的な引用性――むしろ一般的な繰り返し可能性》と呼び、《この一般的な引用性なくしては「成功した」行為遂行的発話もありえないのではないか》（「署名　出来事　コンテクスト」、『哲学の余白』下、二六〇ページ）と皮肉っているのは当然である。デリダはすこしまえのところで、オースティンの方法を一定評価しつつも、《言説行為をコミュニケーション行為としてしか考察していないように思われる》（同前二五一ページ）と看破しているのである。

むしろここでは同じ論文のなかでデリダがより挑発的に言っていることのほうに注目したい。

> 或る種の言表はそれらが**客観的な**意味作用を欠いているときでも意味をもちうる。「円は四角い」は意味をそなえた命題である。この命題は、私がそれを偽である、あるいは矛盾

していると判断しうるくらい十分に意味をそなえている。

（同前二四八ページ）

ここでの〈意味〉とは現実的に意味をなさない、というときの〈意味〉ではない。ひとつの言表として正規の文法的な構造をもち、逆説的に〈意味〉をそなえているということである。この〈意味〉は、それが現実の場では意味をもたない、矛盾でしかないとしても、ある種の言表においては可能性として〈意味〉をもちうる。それがたとえば、言説行為としての詩においては場合によっては可能であるということになる。それはいわば宛先のない言説行為、それ自体で完結するしかない言説行為にすぎないことになるかもしれないが、それが詩という言説内部においてなにごとかを隠喩的に志向することはありうるのであって、いまのところ一概に否定する必要はない。この通常の意味における〈無意味〉を詩の文脈において生かすことは不可能ではないかもしれないからだ。

おもしろいことに、日本語文法学者の時枝誠記もこのデリダの「円は四角い」[☆3]という例について言及している。

文の意識は、……統一された思想の表現であるということが出来る。思想の表現が、単に体験の羅列であっては、統一の意識は起こり得ない。たとえ非論理的思想であっても、「丸は四角い」の如きに於いて、我々がそこに文を意識し得るのは、思想の統一があるか

☆3　この「円は四角い」という表現はフッサールに由来するらしく、デリダのフッサール論『声と現象』（一九六七年）の第七章「根源の補欠」で何度も言及している（邦訳一七四ページ、一八五ページ、以下）。むかし読んだままですっかり失念していたこの典拠については郷原佳以さんのご教示を得たことを感謝したい。

らである。（『国語学原論』下巻、五二頁）

言語の哲学は二十世紀にはいってとくに顕著な進展をみせているジャンルであるが、オースティンのように、日常的な言語実践の理解のうえでのめざましい理論的貢献をした者でも、ことばの創造的な側面にかんしてはお粗末としか言いようがない理解力をのぞかせてしまう。哲学は、ドゥルーズが言うように、概念の創造をもってその本来の仕事とするものだが、それでもことばが起点となるしかないのであって、S・K・ランガーも言うように《真に新しい概念は、現行の言語にはその名称がないから、最初は常に隠喩的な陳述のかたちをとって現われてくる》（『シンボルの哲学』一九五一年版への緒言、ixページ）のである。そういう意味で、詩と哲学はことばを介して方向性は異なるがより新しい世界、より新しい理解へと進んでいこうとする重要な営為なのである。

ここで言語学や記号学の知見から、詩とは詩というコードの選択であり、そのコードのうえでのメッセージの一種であるという理解をすることも考えられないわけではない。すでに触れたように、ヴィトゲンシュタインの〈言語ゲーム〉理論を詩に投影して、詩はひとつの言語ゲームであるという設定をすることも可能かもしれない、ということである。しかしそれは、詩を書く立場から言えば、最初の動機づけのひとつにすぎない。それを言うなら、むしろ既成の詩というコード、既成の詩という言語ゲームにたいする違反となることばの展開をもたらすことによって、そのつど新しい詩のコード、新しい言語ゲームのルールを再設定するものだと言ったほうがいい。これなら、詩を書くことの始まりのモチベーションとしてはやや安易だが、いくらかわかりやすいだろう。

『判断力批判』のなかでカントは詩について決定的な断言をしてくれる。

> およそいっさいの芸術のうちで、最高の地位を占めるものは詩である（詩はその発生をほとんどまったく天才にまつものであり、また指定や実例の指導を蒙ることをもっとも好まぬ芸術である）。詩は心を開張する、この芸術は構想力を自由に遊ばせ、また与えられた概念の埒内で、この概念と合致する無限に多様な可能的形式のなかから、或る種の形式――換言すればこの概念の表示を、言語によってはとうてい完全に表現せられえないほど豊富な思想と結びつけるような形式を抽出し、こうして自分自身を理念にまで高めるのである。
> （『判断力批判』上巻、二九〇ページ）

カント美学における天才論などいささか鼻持ちならない所論に目をつぶれば、ここでカントが言う《構想力を自由に遊ばせ》《豊富な思想と結びつけるような形式を抽出》する詩の可能性はけっして絵空事ではない。〈構想力〉とは自由な認識＝創造力のことであって、概念的な抽象作用である理性や理念から独立にはたらく力能である。しかもこの力能が《いかに豊富であっても、そのはたらきが無法則的な自由であれば、それから生じるものは取るに足りない無意味なものでしかない》(同前二七八ページ)とカントはきちんとクギを刺している。カントの時代にあっては修辞論や、まして隠喩論などはさして重視されていなかっただろうから、ここではあくまでカント流の思弁的観念論に終始しているが、この構想力という概念は詩の構想という視点から見たとき、あらためて大きな駆動力を獲得するのではなかろうか。あらためて論じてみたい主題である。

第四章　詩を書くことの主体的選択

人々の脳髄は、過去思想の貯蓄なり。社会の事業は、過去思想の発出なり。是故に若し新事業を建立せんと欲するときは、一たび其思想を人々の脳髄中に入れて、過去の思想と為《なさ》ざる可らず。何となれば、事業は常に果《か》を現在に結ぶも、思想は常に因を過去に取るが故なり。

（中江兆民『三酔人経綸問答』一九八頁）

詩の原理論的考察の必要

詩を書くこと、書こうとすることはいったいどういうことか。これまで詩の本質的隠喩構造、さらには言語そのものの隠喩性について詩を書く立場からいろいろ考察をくわえてきた。この企てが詩を書く立場からの問題究明を悪戦苦闘しながら展開せざるをえなかったことからみても、おそらくこれまで歴史的にみてもほとんど誰も試みようとしなかった問題であると思わざるをえない。個々に哲学、言語論、隠喩論において詩の問題を考えるということは、それこそアリストテレスからはじまってヴィーコ、ニーチェ、ハイデガー、リクール、デリダにいたるまで古今東西いくらでもある半面、それらは詩の外部者としての観察、解読、研究、問題化にとどまり、あくまでも詩をすでに為されたもの、完成されたものとして後追い的に論じられたものであって、詩を書くことの内部からことばの隠喩性の問題を論じ、その探究の結果が新たな詩の構想と実践に結びつく、といった構図を示したものではない。

これはそもそもありえない問いなのか。もちろん、ポーやボードレール、マラルメ、ヴァレリー、ブルトン、T・S・エリオットなどの詩人たちはその詩論においてそれぞれの立場からみずからの詩の構想を明らかにしようとしてきた。だがしかし、かれらの詩論の試みも、言語の本質的隠喩構造にもとづいて詩の内部構造を予見的に洞察したところから書き進められたものか、ということになるといささか一面的で、わたしの考えようとする言語それ自体の隠喩性の直観的考察を欠いたものと言わざるをえない。このあたりの実証はいずれ詩史論的に手をつけなければならないが、さしあたりはこのように判断しておく。そしてすくなくとも日本語の詩の世界においては、私見によれば、わずかに萩原朔太郎の『詩の原理』と吉本隆明の『言語にとって美とはなにか』のみが詩人としてそうした問題意識をもち、その原理論的考察を試みたものと言っていいが、それにしても朔太郎の場合は時代的個人的制約からその試みは恣意的なものにとどまり、高度な達成を実現したと言うことはできないし、吉本の場合も詩人による文学論としては〈自己表出〉〈指示表出〉に代表される高度なオリジナリティをもっていると は言ってよいが、これもまた詩的言語の特性を一般化した概念に押さえ込んだという以外は、文学理論の私的な体系の構築を急ぐあまりに、言語の本質的な隠喩性への理解などはまったく通り一遍のレベルにとどまっている。

　そういう意味でわたしがいまも試みようとしている詩の言語隠喩的原理論とは、そもそもほとんどこれまで誰も手を付けてこなかった問題領域であることは確信できる。したがってここで試みていることはおそらくほとんどのひとには理解されにくいだろうし、考えてみたこともない問題であるにちがいない。問題意識のないところに思考は理解の基盤をもちえないからである。ましてや詩は書いてみなければわからない、書くまえにいろいろ考えるのはむしろ詩の自然発生性を損ないかねないと考えがちな多くの自然詩人たちにとっては無縁の出来事にちがいない。また、こうした素朴な詩人たちとは別に、現代詩の狭い世界でささやかな党派性にしがみついて批評的な相互批判を避け、互いの持ち分だけを元手に、保守化しつつある詩的ジャーナリズムの人畜無害な箱庭的世界に小さな満足を覚えている亡霊たちも多い。こうした安逸さにまどろんでいる現代詩の世界のなかで詩の根源を探ろうとするわたしの試みが毛嫌いされるか、せいぜい言っても鬱陶しく思われることは覚悟のうえである。

　しかし、そうした無関心や無視、反撥のなかでもわたしの言語隠喩論は書きつづけられてきたし、すこしずつでも共感と理解を示してくれる詩人たちがでてきたことも確かである。そうしたなかには、わたしの議論が実際に詩を書くことにたいしてややリゴリスティックに見えてしまうひともいるだろう。もちろん、そうであってはならないし、そんなつもりもない。詩を書くうえですべてのひとが厳密な詩論を念頭において書いているわけではないし、そんなこともできるはずがない。げんにわたし自身の詩もそういうわけにはいかない面をもっているはずである。ただ多くの現代詩人の書いているものを読むかぎり、このあたりが〈現代詩〉のようなものだろうという当てずっぽうで書き散らされたものがあまりにも多いことに、わたしが異を立てていることがわかってもらえばいい。詩はほんとうに書かれるべきものが書かれるだけでいいのである。だからわたしは今後の現代詩の発展（というものがあればだが）のためにあらかじめいつとも知れぬ将来的な布石を打っておくというだけでも、この論点を提出しておこうと思うだけである。

詩のことばがことばの無意識とでも呼ぶべき、書き手の意識を超えた（構造的）意味性をもつことは、ことばというものの歴史的生成、現働的変化などの本性を考えてみれば、ひとがことばを完全に統御しうると思えるのは錯覚にすぎない、と言うべきかもしれない。しかしながら、この不可能とも思える問いを発することをつづけないかぎり、肝腎なことはなにひとつ見えてこないこともまた確かなことである。

こうした観点から、本章ではこれまでに書いてきたことを踏まえてさらなる考察の冒険を進めてみようと思う。ここからがほんとうに論じきらねばならない中心的問題なのである。

書く主体とは何か

われわれ日本語を母語とする者にとって、とりわけ詩を書くことを選択した詩人にとっては日本語で書くことは宿命的である。ごく稀な例外はあるが、詩を書くこととは、熟知しているはずの母語としての言語に根ざしつつ、それでもなおたえず新たな可能性としての言語のありかたを未知のなかに追求することである。それはどんな母語においても同じであって、母語としてのことばの生理の襞、生得のリズム、意味の累層的なニュアンスなどに精通していなければ、ことばの深層をよく把握したうえで母語の拡張あるいは変形などをおこなうことはできない。逆に言えば、こうしたことばの深層においてのことばの運動（拡張あるいは変形）にかぎりなく関心をもつひとが詩人である、と言ってもいい。ここで、みずからのユダヤ性という出自においてあらかじめ引き裂かれた母語（ドイツ語）で詩を書くことを決断し、この矛盾のなかを生きて死んだパウル・ツェランのことが、さらには、同様にチェコという辺境の地で、しかも母語でないドイツ語での執筆を選択せざるをえなかったフランツ・カフカのことも想起されるが、これらはまたおのずから別の課題である。

たとえば日本語で詩を書くしかない詩人にとって、日本語をたんなる言語学的観察事象としてではなく理解と表現のための言語として考察した時枝誠記という文法学者はあらためて評価すべき存在である。時枝はその主著『国語学原論』（一九四一年）において「言語に対する主体的立場と観察的立場」[☆1]（『国語学原論』上、三八頁）という視点を強調している。

まずは時枝の主体的言語意識について見ておこう。

☆1　これは「第一篇　総論」の四節の見出しタイトルである。

言語を思想表現の手段と考えて、実際に表現行為としての思想の分節や、発音行為や、文字記載をなし、聴手の側からいえば、言語を専ら話手の思想を理解する媒介としてこれを受入れ、文字を読み、音声を聴き、意味を理解する処の立場である。普通の談話文章に於いては、我々はこの様な表現或は理解の立場で言語的行為を遂行し又受容しているのである。（中略）かかる立場に於いては、我々は言語に対して行為主体として臨んでいるのであって、この様な立場を言語に対する主体的立場ということが出来ると思う。総ての言語はこの主体的立場の所産であり、この様な立場に於いて、主体によって意識せられている言語の美醜或は価値の主体を主体的言語意識と名付けることが出来るのである。

（同前三八―三九頁）

いまからみると、ここで特別に斬新なことが言われているわけではない。言語にたいする主体行為という立場がどういうものであるかを説明しているだけであるが、このあとにくる、日本語ということばへの観察と研究をもっぱらとする〈観察的立場〉が日本語（国語）研究においては主流となっていることにたいする批判（批評）としてみずからの〈主体的立場〉を主張する、という文脈のうえでの言説にこれはなっているのである。《先ず最初に、言語の具体的実践が、主体的な表現行為であって、それ以外のものでないということは、極めて重要なことである》（同前四〇頁）と時枝はダメ押ししている。この《言語の具体的実践》という問題意識こそが、詩を書くという言語実践の立場から言語の創造力を問おうとするわが言語隠喩論にとって本質的な問題であることは言うまでもない。

時枝と言えば〈言語過程説〉がその学問的主張を要約した理論の通り名であるから、時枝自身によるこの理論の定義をいちおう聞いておくのが筋というものだろう。

言語過程説というのは、言語の本質を心的過程と見る言語本質観の理論的構成であって、それは構成主義的言語本質観或は言語実体観に対立するものであり、言語を、専ら言語主体がその心的過程を外部に表現する過程と、その形式に於いて把握しようとするものである。

(『国語学原論』上、九頁、「序」の冒頭)

時枝誠記の日本語学者としての大きな存在理由は日本語における「詞」と「辞」の差異を明らかにしたところにあるのだが——その問題意識は古典学者であり詩人の藤井貞和が継承して『文法的詩学』(笠間書院、二〇一二年)、『文法的詩学その動態』(笠間書院、二〇一五年)など、その文法論として独自の発展をみせている——、いまはそのことより、日本語を表現する側からとらえようとした時枝言語学の主体的表現の主張という側面に価値をおくことのほうが重要であろう。時枝のソシュール解釈がさまざまな誤解と曲解をふくんでいる問題は、そもそもソシュール言語学の「構成主義的」言語観にたいする反撥からきているものであって、そのこと自体は別個の大きな問題であるが、ここでは（とりわけ詩の）書き手にとっては日本語の創造的機能との関係においてこの言語過程説を踏まえていくことは重要な立脚点となるはずだ、とだけ言っておこう。たしかに時枝言語学の影響は吉本隆明『言語にとって美とはなにか』の言語表出論（表現論）などに大きな痕跡を残しているが、方向性のちがいもあって、いずれも言語隠喩論の方向での成果をみせるところまでは到達していない。

ここでもうひとつ言語学的な言語主体論とも言うべきエミール・バンヴェニストの論点も参照しておかなければならない。バンヴェニストはソシュール言語学を批判的に継承した比較言語学者で〈ディスクールの言語学〉を発想し展開したひとだが、ここではその主著『一般言語学の諸問題』（一九六六年）のなかの小論「ことばにおける主体性について」において時枝とは別の文脈でことばの主体性に言及しているところに注目しておきたい。

〈わたし（je）〉は何に依拠するのか？　――もっぱら言語的なものであるきわめて特異なにものか、にである。〈わたし〉が依拠するのは個人的な言述行為（acte de discours）であり、そこではその言述行為は発声され、その話し手が指名されるのである。それは、われわれが別のところで言述の審級（instance de discours）と呼んだもののなかでしか同一化しえない、しかも現実的な参照しかもたない名辞（terme）なのである。それ〔言述行為〕が送り返す現実は言述の現実である。話し手がみずから〈主体〉として発言することができるのは、わたしがこの話し手を指名する言述の審級においてにほかならない。したがって主体性の根拠は言語の実践のうちにあるということは文字通りほんとうである。そのことをよく考えてみるならば、主体の客観的な証言としては、それ〔言述行為〕がみずからそれ自身について与える証言以外のなにものでもないことがわかるだろう。

(Émile Benveniste, *Problème de linguistique générale*, pp. 261-262. 拙訳)☆2

ここは重要なところで、なにものかを発言したり、書記したりするとき、ことばは必ずしも絶対的に自分のものではない。ことばを発している話し手が自分という主体であると思えるのは、この話し手にその権利を与えているのが、わたしが言語というものの仕組みを理解し、そのなかでわたしとして発言することをみずからに主体的に許可しているかぎりのことにすぎない。たとえばわたしが詩を書こうとするそのさいに、その書く主体として立ち現われる書き手とはすでにわたし自身ではない。詩を書くという主体的選択をするということは、わたしという主体を言語に預け、あたかもその言語を書きつづけていく書き手という〈わたし〉をわたしが再設定すること以外のものではない、ということである。

ここですぐに思い出されるのは、かつて入沢康夫が言った重要なテーゼのひとつに「どんな作品においても《詩人》と《発話者》は別である」(『詩の構造についての覚え書』五四頁)があったこと

☆2　この箇所は邦訳『一般言語学の諸問題』みすず書房、一九八三年、二四六ページにあるが、その訳では何を言っているのかまったくわからない。

であろう。このテーゼは、《詩は表現ではない》（同前一一頁）などとともに、これが書かれた当時においては奇矯な発言と受け取られたフシがあり、北川透とのあいだで論争がおこなわれたりしたことがあるが、なんのことはない、入沢が親炙していたであろうフランス現代思想のコンテクストのなかでは、たとえばこのバンヴェニストの〈言述の審級〉といった理論的枠組みがいわば常識的理念となっていたからにすぎず、そうした理念が当時の日本の現代詩の世界ではまだよく知られていなかったからである。詩を書くとき、詩の書き手はこのわたしではなく、わたしによって指名された書き手が詩のことばを書くのである。わたしであってわたしでない者こそが詩人であり、書くことの審級とはランボーの言うあの〈わたしとはひとりの他者である〉という位相にほかならないのである。

このことが意味するのは、詩人あるいは詩の書き手においては、詩のことばは十全な文法的記述的意識のコントロールのもとにおかれた言述というよりも、日本語なら日本語ということばの生理の襞をなぞり落ちていくことばの自立的な運動が適当なところで既成の意味と妥協することなく、思いがけないことばとの初めて見る接続面においてさらなる飛躍と切断を試みるという現象でありその連続的局面のことである、ということではないだろうか。詩のことばは新しい接続と切断をくりかえすその局面の先端において、そのつどなんらかの認識を獲得しながら、その認識力の導きのもとにさらに先へ進もうとする。すでにこのときには詩の書き手はみずからがいったいどこへ向かおうとしているのかわからないし、みずからがもはや主体であるなどという確信さえもつことはできない。ただただ、ことばがそのつど切り開く局面のなかでことばのリズムやイメージといった生理にもとづき、或る種の認識に促されて先へ進もうとするしかない。その過程のどこかで大きく局面が変わるとき、それはさらなる展開となるのか、そこがいちおうの到達点として収束することになるのかは、書き手の構想力の臨界となるのではないか。

詩の書法の問題を内側からなぞってみれば、およそこのような運動力学が働いていると思える。もしかすると、この運動力学のことをカントは〈構想力〉の問題と呼んだのではないか。

> 経験においてその実例が見出されるもの、たとえば死、嫉妬、さまざまな罪悪ばかりでなく、愛や名誉等にも、構想力を駆使して経験の制限を越え、自然においてはついぞその実例を見ないほどの完璧な形を与えてこれを感覚化しようとする、そしてこの場合に構想力は最大のものを追求しつつ、理性の示す模範と相競うのである。それだから詩こそ、美学的理念の能力がその本領を余蘊なく発揮し得るところの芸術である。しかしこの能力は、それだけとして見れば本来一個の才能（構想力の）にほかならない。
>
> （『判断力批判』上巻、二六九ページ）

ここはいかにもカントらしく、〈美学的理念の能力〉すなわち構想力の才能という観点に帰着するのだが、さらにカントは言語芸術としての語りと詩という対比をもってくる。すなわち〈語り〉とは《悟性の仕事をあたかも構想力の自由な遊びであるかのように進めていく芸術》であるのにたいし、詩は《構想力の自由な遊びをあたかも悟性の仕事であるかのように営む芸術》（同前二八〇―二八一ページ）と反転させて定義する。そして語り手の仕事は《自分が約束しない何か或るもの、即ち娯しみを旨とする構想力の遊びを与える。ところが彼は、自分が約束しまたみずから標榜するところの仕事、即ち悟性を合目的〔的〕にはたらかせるという仕事を幾分おろそかにするのである》（同前二八一―二八二ページ、〔 〕内は引用者の補足）としたうえで、これと対比的に詩人の仕事について語る。

これに反して詩人は、ほとんど何ごとも約束せずに、観念のたんなる遊びを標榜するだけであるが、しかしまた何か或ること――換言すれば、遊びつつ悟性に営養を給し、また構想力を用いて悟性の概念に生気を与えるという仕事を成就するのである。したがってまた語り手は、だいたいにおいて彼が約束するよりも少なく与えるし、詩人は彼が約束するよりも多く与えるということになる。（同前二八二ページ）

カントの〈悟性〉という観念はわかりにくいところがあるが、ここでは物事を理解すること、理解力といった程度の意味にとっておいていいだろう。詩人が《観念のたんなる遊びを標榜するだけ》と言われてしまうとすこし困惑してしまうが、構想力の自由な〈遊び〉とは、さきほどわたしが指摘したことばの運動力学あるいはことばの力学の運動のことを指しているにちがいない。するとこの力学（構想力）はことばの無意識と連動して通常の理解力を超えたなにものかを発見的に創造していくことになる。それがカントの言う《約束するよりも多く与える》詩人の創造力がことばの無意識、すなわち言語の隠喩性といかに深く結びついているかを明らかに示しているのである。

隠喩は誰にとって価値があるのか

詩人が〈観念のたんなる遊び〉である詩に立ち向かうとき、そこには自由以外のなにひとつ賭けられていない。カントも言うように、《心は確かに仕事に従事しはするが、しかしその場合にもほかの目的を目当てにすることなく（報酬を顧みることなく）、みずから満足と鼓舞とを感じる》（『判断力批判』上巻、二八一ページ）のが詩人だからである。そうすると、詩人の創造力がことばの無意識と格闘し、なにごとか未知の隠喩的発見をもって帰還するとき、その隠喩的発見とは誰にとっての悦びとなるのか。詩人はことばの無意識が発見したこの隠喩の価値をどこまで把握しているのか。ヴィーコが言ったように、《まずは詩人たちが感覚によって受けとめて通俗的知恵にまとめあげたことがらを、つぎに哲学者たちが理解力を働かせて深遠な知恵にまとめあげることとなったのだった》というのはほんとうか。詩人には発見の悦びはないのか。

じつはこの節のタイトルは郷原佳以のデリダ論連載のある節のタイトル「隠喩は誰のものか——ロゴスのピュシス」（「［デリダの文学的創造力9］形而上学の壮大な連鎖、あるいは、星を太陽とみなすこと——『白い神話』読解4」）をもじったものである。郷原はそこでアリストテレスの『詩学』がミメーシス（模倣）概念にもとづいたものであることを指摘したうえで、《ミメーシスが最大の学びをもたらすのは知恵を愛する哲学者にとってであり、それによって最大の喜びを得るのも哲学者である》と述べているのである。

じっさい、デリダは、アリストテレスが『詩学』で詩人と歴史家を比べたところで《詩作は歴史にくらべてより哲学的であり、より深い意義をもつものである》（『アリストテレース「詩学」／ホラーティウス「詩論」』四三ページ）としたところを引いたあとで、こんなふうに述べている。

しかしながら隠喩は哲学自身と同程度に真面目なわけではなく、哲学の歴史全体を通してその中間的な身分に甘んじるように思われる。中間的な身分というよりもむしろ女中（ancillaire）としての身分と言うべきか。すなわち整序された隠喩は真理に奉仕すべく労働しなくてはならないのだが、しかし主人は隠喩に満足しえず、隠喩よりも十全な真理の言説のほうを好むのだ。（Derrida: Marges de la philosophie, p. 284.「白い神話」『哲学の余白』下巻、一二四ページ）

デリダともあろう者のかなり乱暴な意見であってがっかりさせられるが、隠喩は哲学にとって〈女中〉とされてしまうのである。そういう面もなくはないが、その逆だって考えられないことはない。どちらが主人でどちらが女中か、なんて議論はあまり意味がないが、これでは詩人は哲学者のたんなるお先棒かつぎみたいではないか。それにそもそも哲学者はちゃんと詩を読んでいるのか、とここでとりあえず半畳を入れておこう。詩人も哲学者も言語それ自体にとりわけ関心をもつ種類の人間であるべきなのに、詩人もまた哲学を読まないことにかけては哲学者に文句を言えた義理ではないのも事実である。

さて、そうなると詩人が詩を書くことによってひとつの隠喩的言語的世界を構築し、それを書いたことによって（すくなくとも当人にとっては）なにものか新しい世界の発見の素朴な悦びというものが感じられたとすれば、はたしてその悦びの最大値は詩人のものではないのか、ということを言いたくなる。しかしそれはもしかすると他者には見えにくい、詩人だけにしかわからないささやかな悦びにすぎず、隠喩として外在化された言語創造のより客観化されたミメーシス的解釈のより高度な解読の悦びというものとはちがうかもしれない。詩人の悦びはヴィーコの言う《感覚によって受けとめて通俗的知恵にまとめあげたことがら》にすぎないと言われれば、もはやその悦びの質や高さを云々してもはじまらないという気になる。

しかし、詩を書く悦び、そしてなにかがたまたまであっても達成された感覚というのは、詩人独自のものである。それを具体的に示すには、一般的にはその詩人に成り代わったつもりで解読するしかないから、ほんとうははっきりするわけではない。鮎川信夫や石原吉郎の詩のいくつかが（あるいはほかの現代詩人であってもいいが）そのひとの生活史からみてもある達成感を感じられるとしても、それはあくまでも鑑賞の次元にとどまらざるをえないのである。したがって、ここでは他者の詩の疑似経験ではなく、みずからの経験において検証させてもらうしかない。さきほどから逡巡しているのはそういった自己分析ないし自作解説というものはあまりしたくないという思いがぬぐえないからなのだが、論旨の展開上これをせずには先に進めないので、恥を忍んでお許しを乞うまでとする。

比較的最近書いたもので、自分のなかに手応えというものが残っている作品としては二〇一九年に刊行した『発熱装置』（思潮社）という連作詩集のなかの「15」がある。短いのでひとまず注をのぞく本文を引用しておこう。

ひたすらことばを追うのはどうしてか
読むことをやめられない
書きたいことをみつけるためにはことばに接していなければならない
するとこんなことばに出会う
「小日向《こびなた》から音羽《おとは》へ降りる鼠坂と云ふ坂がある。（……）ここからが坂だと思う辺《へん》まで来ると、突然勾配の強い、曲がりくねつた小道になる。」
これは森鷗外の「鼠坂」にあるそうで岡井隆の「鼠年最初の注解《スコリア》」からの孫引きだが

この坂道には心当たりがある
だからどうだというわけではない
それは同じ区にある仕事場のすぐそばの法蔵院に引きこもっていた漱石を子規が訪ねたことがあるらしいとあるとき来訪された女性研究者とその娘さんに教えたことがあるというぐらいに平凡な話だ
数寄者の岡倉天心の『茶の本』は西欧のタームで日本の美の精神を世界に弘めたと小林康夫は書いている
すごい秀才だが時の権力者九鬼隆一をコキュにして妻波津子を奪ったその手口は波津子が当時としてはまれにみる美形だったところが天心の美学にかなったのだろうがけっこう通俗的だった
いつも母から天心の話ばかり聞かされていた周造はドイツ留学も気もそぞろだったかハイデガーも認めた優秀な哲学者も日本に戻れば「いき」を分析することで母の恋人の精神をいくらかは継承したことになる
明治の近代はそうして暮れたがいまは浮力のついたことばをどうやって落ち着かせるか誰も考えない
こうしてことばが開く深淵に時代とともにみんなして墜ちていくのである

（詩集『発熱装置』二二二―二二四頁）

ことばをめぐるもややもやから書き出したところで、たまたま岡井隆の現代詩文庫で見つけた「鼠年最初の注解《スコリア》」という作品に出会った。文京区に仕事場があった関係でそのあたりの地形にはいろいろ心当たりがあり、くわしくは確認していないが、小日向から下ったあたりに鷗外の「鼠坂」に出てくる坂がある。おそらくここかなと思える坂はまことに急峻で、クルマでも一気に登らないと登りきれないんじゃないかと不安になるくらいの一方通行の坂である。小日向という高台から講談社のある音羽あたりまではどこから下っても急な土地で、このあたり東京の断層的な地形のひとつでもあろうか。環状8号線から多摩川に向かって急に下り降りる地形とすこし似ている。とは言ってもそれはわたしの土地感覚の問題で、ほかのひとにはあまり関係がないから〈だからどうだというわけではない〉と書いたのである。すると、こうしたどうでもいい〈平凡な話〉のひとつの例として、同じ文京区の仕事場にどういうわけか訪ねてきた漱石研究者という母とその娘さんに、仕事場のすぐ近くにあった法蔵院という寺に漱石が神経を患って半年ほどこもっていたときにまだ元気だった正岡子規が訪ねてきたことがあることを思いだし、その話を伝えたことがあることがまさに〈だからどうだというわけではない〉こととして、句読点もないひとつながりの文に吐き出されたのである。そうするとこの平凡でどうということもない話のつづきとして、これもまたたまたま読んだ文章のなかに岡倉天心の話があって、その代表作『茶の本』がいかに日本の美にかんする情報を西欧のタームで語ることによって世界に広めたかということがわかり、そうするとその秀才の天心が当時の高級官僚で上司でもあった九鬼隆一の〈当時としてはまれにみる美形だった〉妻波津子と深い仲になるという〈通俗的〉な話が思い出されてきて、九鬼隆一にかんする研究書の編集にかかわったことがあってこのあたりの情報は十分知っていたからでもあるが、そうなると、つづけて波津子の息子である九鬼周造の『「いき」の構造』が天心の影響もあってか、このハイデガーの高弟でもあった哲学者がドイツ留学もそうそうに切り上げて帰国後に書かれたこの本が、母をかどわかした岡倉天心の美学に通ずる〈いき〉という概念を論じたものであった、というメロドラマもどきのおもしろい美学思想的関係を一気文としてつなげてみせるのがおもしろかったのである。こんなことは批評やエッセイで書いてしまえば、たんなるエピソードか痴話ばなしに終わってしまうところだが、詩とはそうした通俗的エピソードを書き込めるのであって、〈だからどうだというわけではない〉が、これが詩でしか書けない話だと思ったのである。〈明治の近代はそうして暮れたが〉というのはまとめであって、対比的に現代のことばの状況を粟津則雄の〈浮力のついたことば[☆3]〉として回帰させることによってひとつの詩の全体が見えたという終りかたをさせ、それも冒頭の坂のイメージとともに〈ことばが開く深淵に時代とともにみんなして墜ちていく〉というオチをつけてみたのである。作品のなかばにいくつかの長文を配し、それも句読点を入れないでどこまでひとつの文として完成させられるかという遊びを試みたものでもあって、この部分だけみればきわめて散文的なように見えるだろうが、そうしたいっさ

☆3　『現代詩手帖』一九七二年一月号の渋沢孝輔との対談「言語と想像力の危機」で粟津則雄は《ことばにへんな浮力がついてきた》と発言して話題になった。粟津則雄対談集『ことばへの凝視』一一五頁。

いをふくんで明治の近代から現代までを包括するひとつの世界を構築してみたわけである。わたしとしてはこの作品全体が部分的に散文脈を織り込んだけっこう大がかりな隠喩的世界だと思っている。この散文的部分をひと呼吸ずつで読んでもらいたいのは、ことばのリズムと勢いをそこに見出してほしいからである。ここでの意味は歴史的事実ばかりであるがあまり重要でないのは、これが文京区という場所と明治近代という歴史的背景のなかにことばという糸を通してみたときにつながってくる人間の世界のひとつのかたちを作ってみたかったまでの話である。率直に言って、自分ではこの作品世界を作れたことが詩人としての悦びであったという実感はいまも隠せないのである。〈だからどうだというわけではない〉が。

そんなわけで自作解説のような逸脱を演じたところで、郷原佳以の哲学的喜びにはほど遠いかもしれないが、こういう種類の悦びもあるということを記しておきたかったまでである。

隠喩とはどんなものか――アリストテレスの定義

さて、こうなってくると、これまで研究対象とされるだけの隠喩について詩を書く立場からあまり肯定的に論じてこなかったにもかかわらず、それをどういうものとして認識しているのかをきちんと書いておかなければならなくなってしまった。わたしは哲学者でも研究者でもないから体系的網羅的に調べていないので、あくまでもみずから書くものがおのずとこうした技術的技巧的な問題をかかえてしまうというかぎりにおいて、考えを提示しておくべきだと考えたい。

そうすると、まずわたしの念頭に浮かぶのがアリストテレス『詩学』のなかの絶対的な定義である。郷原佳以が先の論文で言っているように、デリダもまたそうしているように、『詩学』における隠喩の定義を《引用することから始めない隠喩論はほとんど存在しないだろう》（郷原佳以「[デリダの文学的創造力9]形而上学の壮大な連鎖、あるいは、星を太陽とみなすこと――『白い神話』読解4」）ということになるわけだが、わたしの場合はその問題のある定義より先に以下のことばを引用しないわけにいかない。

とりわけもっとも重要なのは、比喩[☆4]をつくる才能をもつことである。これだけは、他人から学ぶことができないものであり、生来の能力を示すしるしにほかならない。なぜなら、すぐれた比喩をつくることは、類似を見てとることであるから。

（アリストテレス、『アリストテレース「詩学」／ホラーティウス「詩論」』八七ページ）

すでに引用したことがある箇所だが、隠喩（比喩）についてのポイエーシス的立場からみても基本中の基本の定義である。これはあとで述べるように、アリストテレスの比喩論がものごとの類似という観念にもとづいたものであることからきている。ともかく物事同士の類似性の発見というところにアリストテレスは比喩の根源と価値を見出すのであり、その類似性の発見

☆4　ここで「比喩」とは「隠喩」と訳すこともできる。

こそが天賦のものだと解釈するのである。ところでアリストテレスは同じようなことを『弁論術』のなかでも言っている。

比喩は、なによりも特に、明瞭さと快さと斬新さを文章に与えるものであり、しかも、それは他の人から学ぶことのできないものなのである。

（『弁論術』三一二ページ）

この他人から学ぶことのできない比喩（隠喩）の感覚、比喩的発想、世界を文字通り（字義通り）ではなく比喩の目で見ることこそが詩人であることの初期条件であることは間違いないところである。さらにカントも『判断力批判』のなかで同じようなことを言っているのがおもしろい。カントは《天才を形成するところの心的能力は、構想力と悟性にある》とし、つづけてこんなふうに書いている。

してみると天才の本質を成すところのものは〔これらの認識能力のあいだの〕めでたい関係にほかならない。そしてこの関係において、与えられた概念に対しては理念が見出され、また理念にたいしては表現が見出されるのである。しかしいかなる学もかかる関係を教え得るものでなく、またいかに勉強したとて、これを学得しうるものでもない。

（『判断力批判』上巻、二七三ページ）

ここでカントは悟性が見出した理念にたいして構想力がその〈表現〉を見出す、と言っているのである。アリストテレスとちがうのはこれが比喩（隠喩）論としてではなく、哲学＝理念にたいして詩という〈表現〉を与えようとしているように読めることである。いずれにせよ、固定的な理念にたいして隠喩的な表現を与えることにカントは構想力の価値を見出そうとしているのであり、しかしその学的構想力の表現もまた天賦の才能によってのみ実現されるということを言おうとしているのである。ここに遠くアリストテレスの比喩（隠喩）論の反響をみるのもおもしろくはないだろうか。

さて、そこでさきほどアリストテレス『詩学』の「問題のある定義」とわたしが呼んだものを確認しておかなければならない。

> 比喩〔隠喩〕とは、（あることを言いあらわすさい）本来別のことをあらわす語を転用することをいう。すなわち（a）類をあらわす語を、その類に属する種に転用すること、（b）種をあらわす語を、類に転用すること、（c）種をあらわす語を、別の種に転用すること、（d）比例関係によって転用すること、のいずれかである。
>
> （『アリストテレース「詩学」／ホラーティウス「詩論」』七九ページ）

この定義に問題があるとわたしが思うのは、まず第一に、この四つの分類がそれ以後の長い比喩（隠喩）論の歴史的規範となってしまったということである。そして第二には、この比喩（隠喩）論は基本的に意味の転用、言い換えにすぎず、わたしの言語隠喩論が解明しようとする言語それ自体の隠喩性、その創造力にたいする言及が見られないことであって、ことばの技法論に収まってしまっているにすぎないことである。アリストテレスもまた隠喩の力を外部的に観察し分類するにとどまってしまっている。かれも詩人ではなかったからで、これはないものねだりになってしまうが、ことばの内側、ことば＝隠喩の発生の現場を見ようとしていない、ということなのである。

さて、あらためてアリストテレスの比喩についての四つの分類をみると、これもさきの郷原がすでに指摘しているように、その（a）類→種への転用、（b）種→類への転用は今日的に言えば換喩または提喩にすぎず、（c）種→別の種への転用、（d）比例関係による転用こそが隠喩であることは明らかである。もっともリクールによれば、最後の（dの）型だけが以後の修辞学では隠喩と呼ばれるようになったとされている。（『生きた隠喩』一八―一九ページ）いずれにせよ、以下では（あまりいい例ではないが）アリストテレスが挙げている例を見ておこう。

（a）類→種への転用――「ここにわたしの船が停まっている」では碇泊が《(類としての)「停まっていること」の一種である。》（『アリストテレース「詩学」／ホラーティウス「詩論」』七九ページ）。

（b）種→類への転用――「たしかに、オデュッセウスは幾万のあっぱれな働きをした」で

は、《万は多数の一種であり、ここでは（類としての）多数の代わりに使われている。》（同前）

この（a）と（b）はもっとわかりやすく言えば、よく使われる例で「船」と「帆」の関係である。つまり「船」で「帆」を表わせば（a）の関係となり、その逆ならば（b）ということになる。どちらにせよ、これは提喩（シネクドキ）であり、広く言っても換喩（メトニミー）でしかない。そこには転用の関係という修辞性がわずかにあるだけで、隠喩のもつ意味の変換、ずらし、発見性といった創造性はない。

（c）種→別の種への転用――「青銅（の武器）で生命を汲み取って」と「（水を）するどい青銅（の器）で切り取って」では、《前者では切り取ること（殺すこと）が「汲み取る」といわれ、後者では汲み取ることが「切り取る」といわれている。というのは、いずれの語も（類としての）「取り出す」の一種であるから》（同前七九―八〇ページ）と説明されている。つまりは言い換えであって、これも字義通り（本義）の意味では通じない（青銅で生命は汲み取れない、水を青銅では切り取れない）が、多少の言語的想像力があれば、それと類似した動詞（表現）の代用あるいは言い換えであることは容易に見てとれる範囲の隠喩にすぎない。アリストテレスは別のところで、こうした種類の比喩（隠喩）について《語られても理解できないようなものでもなくて、それまではその知識がなくても、語られると同時にそれが理解できるか、もしくは、さほど遅れずに理解がついてくるようなもの》（『弁論術』三四七ページ）と言っていて、隠喩としてはわかりやすい部類と考えている。

そして最後の（d）について《比例関係とわたしがいうのは、第一のものにたいする第二のものの関係が、第三のものにたいする第四のものの関係と同じである場合のことである。じじつ、このような場合、人は第二のものの代わりに第四のものをいうであろうし、また第四のものの代わりに第二のものをいうであろう》として、酒杯：ディオニューソス＝盾：アレースという比例関係があれば、《ひとは酒杯のことを「ディオニューソスの盾」というであろうし、盾のことを「アレースの酒杯」というであろう》（『アリストテレース「詩学」／ホラーティウス「詩論」』八〇ページ）というのである。もっと日常的な例で言えば、老年：人生＝夕べ：一日という比例関係のなかで夕べのことを「一日の老年」、老年のことを「人生の夕べ」という、というわけである。そしてこれについてもアリストテレスは《比喩には四種類のものがあるが、そのなかでもっとも評判がよいのは比例関係による比喩である》（『弁論術』三四七ページ）と明言している。つまりアリストテレスにおいてはこの型がもっとも隠喩らしいものだということになる。

ただ、こうした例でみてくると、隠喩とはなんだかつまらない喩えに見えてしまうかもしれない。年寄りが「人生のたそがれ」を生きているなどという表現をみても、ひとはだれもそれが隠喩だなどとはとくに思わないし、いとも簡単にその意味を理解するであろう。いわば紋切り型なのだ。リクールはそうした言い古されてもはや最初の斬新さを失ない、辞書の拡大的意味として登録されてしまったような使い古された隠喩的表現を〈死んだ隠喩〉と呼ぶことになる。詩人が詩を書くときにまずはこうした〈死んだ隠喩〉を使うようなことがあってはならないことは言うまでもない。

ここではアリストテレスが初めて比喩（隠喩）の問題を考えたときに、まずはこうした定義と分類から始めたということがおさえられておく必要があるということである。

修辞学の再興

こうしてアリストテレス以後、この比喩（隠喩）の定義が西欧のレトリック（修辞学）の伝統となっていったこと、このレトリックが学校の基本科目に組み入れられて言語教育の軸となったこと、それが文彩の分類学に矮小化されたことによってその支配的な地位からしだいに転落していったことなどはレトリックの歴史についての文書を見ればたいてい書いてある。

それが英米系の比較的実用的なレトリックにおいては二十世紀前半において前述したI・A・リチャーズの『レトリックの哲学』が出現することによってレトリック再興がなされていく。リチャーズは〈主意〉(tenor) と〈媒体〉(vehicle) というふたつの概念——この概念はあまり適切とは思えないが——によって、もともとの意味とそれから発生する別の意味（比喩）ということばの二重構造に着目し、それらの〈相互作用〉こそが重要なのだという点を主張した。

媒体は、通例、主意のたんなる文飾として、主意にそれ以外の影響を与えないというようなものではなくして、媒体と主意とは、協働によって両者のいずれにも帰属しえない種々

の力を備えた意味を与えるのです。（リチャーズ『新修辞学原論』九三ページ）

こうしてもともとの意味（本義）としての〈主意〉は文脈のなかでそこから派生した意義としての〈媒体〉との二重構造とその相互作用によって、〈主意〉にも〈媒体〉にも帰属しない力が与えられる。早くからこのリチャーズの隠喩論を擁護したマックス・ブラックは《隠喩は予め存在する類似性を定式化するというより、類似性を創り出す》（ブラック「隠喩」、『創造のレトリック』一五ページ）と評価した。この力こそが隠喩の発見的創造力なのである。

ブラックが言うように、《もしある男を狼と呼ぶことが彼に特別な照明をあてることであるとすれば、この隠喩によって狼もまた他の場合に比べて人間的に見えてくるのだということを、我々は忘れるべきでない》（同前二二ページ）とすれば、ある男（主意）は隠喩としての狼（媒体）によってある種の凶暴性を付与されたイメージを与えられると同時に、狼のほうでもどこか人間的なイメージに近づけられることになり、その男はその男であるままに、狼のようでもあり、そのことによって人間化された狼のようにも見えてくるということである。この例はいくぶん直喩に近く面白みに欠けるが、いずれにせよ、比較されたほう（男）とその比較対象（狼）とはそれぞれの意味を保持したままで、それぞれの意味のもつ含意をふくんだ第三の意味の広がりをもつということである。隠喩がしばしば濫用されることもあって、ブラックは《本義的表現への言い換えはどうしても喋りすぎになってしまう——そして間違った強調を伴う》（同前二四ページ）のであって、こうした結果、危険な隠喩というものさえ生じうる。《確かに隠喩は危険である。――多分哲学ではとりわけ危険である》（同前二五ページ）というブラックのジョークをさきほどのデリダの哲学ではどう解釈されるだろう。

こうした英米系の修辞学再興の動きに呼応するかのようにフランス語圏でもヌーヴェル・レトリックやベルギーのグループμ《ミュー》の動きが一九六〇年代に活発化する。そのあたりはわたしもリアルタイムで経験しているので、だいたいの動きはつかんでいるつもりである。ただそのまえにロラン・バルトがなぜか『旧修辞学――便覧』というテクストを書いているのが気になるので、確認しておこう。このテクストは一九六四―六五年に国立高等研究所（オート・ゼチュード）でおこなわれたゼミナールをもとに一九七〇年刊行の『コミュニカシオン』誌16号の〈レトリック探究〉特集のなかに一挙掲載されたものである。その後、単行本化はされていないようだ。この時間の経緯はいささか微妙なので、確認しておこう。その『コミュニカシオン』誌の特集にはさきほど触れたグループμやヌーヴェル・レトリックの中心人物ジェラール・ジュネットも参加しており、まさに勃興しつつある新しい修辞学的探究の一環としてバルトのテクストも掲載されているのである。しかし、そのなかでこのバルトの研究はそうした新しい動きに直接的に対応する内容ではなく、むしろそれ以前のフランスにおける修辞学の歴史の最終総括といった趣きがあることに注意しよう。バルトは書いている。

修辞学は、もろもろの体制を、宗教を、文明を消化してきた。ルネサンス以降、息絶え絶えではあるが、事切れるのに三世紀もかかっている。しかも、まだ死んだとは断言できないのだ。修辞学は、超文明、すなわち、歴史的、地理的西欧の超文明とでも呼ぶべきものに接近する道を開いている。修辞学は（のちに生まれた文法とともに）われわれの社会に言語活動とその至上権（中略）を認めさせるに到った唯一の実践であり、その至上権は、社会的には、また《領主権》でもあったのだ。修辞学が言語活動に課した分類は、継起する多様な歴史全体に真に共通する唯一の絆である。あたかも、内容のイデオロギー、歴史の直接的な因果関係の上部に、形式のイデオロギーが存在するかのように、あたかも――デュルケムとモースが予感し、レヴィ＝ストロースが確認した原理であるが――、それぞれの社会には、タクシノミック〔分類学的〕な同一性、社会＝論理《ソシオ＝ロジック》が存在し、その名の下に、別のレベルで認められる歴史や社会性を破壊せずに、もうひとつの歴史、もうひとつの社会性を定義することが可能であるかのようにである。

（バルト『旧修辞学』一〇―一一ページ）

ここには、すでに触れたように、ルネサンス以後の近世～近代レトリックの衰退の歴史と、それにもかかわらずまだ死亡通告を受けていないレトリックの現代的状況が描出されており、それが新しい時代への対応の可能性を示唆しつつ、このテクスト自体は小さなものでありながら、バルトとしてはめずらしくアカデミックな便覧という体裁をとっているように、もしかしたらその後に何かを考えていた可能性はある。このテクストの末尾を読んでみよう。

> 「修辞学」を、もっぱら、ただたんに歴史的な対象の地位におとしめること、テクストの、エクリチュールの名の下に、言語活動の新しい実践を要求すること、そして革命的な科学から絶対に離れないことが、唯一の、かつ一貫した作業となるのである。
>
> （『旧修辞学』一五八ページ、« COMMUNICATIONS »16, p. 273）

結局、バルトは新しいレトリック的探究はしなかったようだ。その後のフランスにおけるレトリックの探究は主としてジェラール・ジュネットとポール・リクールなどが中心となっていく。これらについては別稿を用意しなければならない。

詩のことばの隠喩性とその広がり

ことば（パロール）を発するという行為は、それがいかなる状況や条件においてにせよ、すでにひとつの制作行為である。たんなる挨拶、伝達行為にあってさえ、ひとが単独で、あるいは他者にたいしてことばを発するとき、そのことばがどんなに紋切り型であり日常言語的な決まり文句にすぎないときでさえ、そこにはある空間のなかにことばを投げ出すことによってその空間の構造をわずかなりとも変容させるという契機を孕まざるをえない。それがことばとして口に出されるとき、そこにはことばの発出にともなう言語外条件がともなうはずである。つまり、ことばが発出されるさいのタイミング、口調や表情、イントネーション、テンポなどのほかにそれが誰に向けて発出されるのか、といった諸条件がかならず付随する。それらをふくめてことばがその場に現前することになるのだが、そうしたパロールの現象はきわめて状況的個別的なものであり、記録に残されることもなければ、まして研究されることもない。わずかに文学作品や劇作品などにおいて想像された発話状況の描出ないし設定があり、そのなかでのみ創造的に生み出されたパロールの現象が記録されることになる。

ひとはそうした場面を日常生活のなかで近似的にたえず経験しているのであり、こうした妥当性了解のなかで小説や演劇の場面を想像し、認定するのである。しかしそれはすでに書くこと（エクリチュール）のもとに実現した仮想のパロールにすぎない。実際のパロールとしてのことばは発出されると同時に消滅し、よほど決定的なかたちで誰かの印象に記憶でもされないかぎり、空間的にも記憶のうえでも消失していかざるをえない。しかしながら、その消失することばがそれでもその局面においてなんらかの機能を果たし、たとえば人間関係を形成しあるいは再形成し、行動への契機となり、さらには人間的な飛躍さえもたらすことがありうる。また逆に他者になんの影響も与えないことによって、それの無益さとむなしさがきわだつこともあるだろう。とはいえ、そうしたあらゆる可能性の創出ないし無化自体がことばの作用なのである。ことばが発されるということは、かりにそのことばが状況的に必然的な緊急性をもつような場合であればなおさら、なんらかの状況創出的な行為となる。たとえば卑近な例で言えば、「火事だ！」と叫ぶことが新しい状況を生み出すというような場合である。誰かにむけてことばを切り出すということは、すでに身分け＝言分け的な行為であり、どれだけ創造性が稀薄であろうとも、ひとはそんなことをいちいち意識せずに日常のなかでみずからのことばを発し、そのことをつうじてなんらかのみずからの意思を伝達ないし創出しているのである。

しかしながら日常言語の自己創出性は類型的、反復的なものになりやすく、それ自体の記録としてはなにも残らないとしても、言語の本質はそのレベルにおいてもつねになにものか新しいもの／ことを指示しあるいは示唆するという意味で制作的（ポイエーシス的）であり、それが必然的になにものかを生み出すという意味で創造的隠喩的である。挨拶のような表現内容的にほとんど選択の余地のないようにみえることばでさえも、それを発するかいなかもふくめて、状況投企的な制作的行為なのである。そういうものとして意識されないほどに、日常言語でさえも隠喩的本質を内属させているというのがことばの本質である。このことは何度でも強調しておかなければならない。

そうであってみれば、文学、とりわけ詩という書法、書く行為は、誰に要請されたわけでもないのに、こうした状況投企的なポイエーシス行為であり、ことばを創出する純粋さにおいて、書くという行為の極限である、と言うべきである。というのは、詩を書くという主体的選択において書くことの動機とは、書くこと以前にはもともと存在せず、書くことによって初めて状況が作られるという意味で状況投企的になるのであって、そういう主体的選択行為なしにはどんな詩の一行も書かれる必然性はないからだ。その意味で詩が創出する新たな世界は現実の世界と明確な接点をもつ世界ではなく、大岡信が鮎川信夫の「繋船ホテルの朝の歌」について述べたように、《純然たる架空のものではなく、現実と等量、等価であって、ただし現実と対立している、ひとつの反世界である。言いかえれば、現実と相接しながら、現実とは逆方向にひろがっている、反現実の世界》（『蕩児の家系』一五八―一五九頁）なのである。[☆1] 詩の構築する世界が、

☆1　拙著『単独者鮎川信夫』、二一〇頁以下を参照。

現実の世界にたいして擬似的な様相をみせようが、あるいはまったく幻想的なイメージの提出になろうが、おのずから現実世界にたいする反世界、反現実の世界であるということは、この世界が現実の世界にたいして隠喩的であることを必然的に示している。そうであれば、こうした詩の世界を構成していることばそれぞれもそれ自体として隠喩であるしかないのは自明である。隠喩たらざるをえないことばが累積して一篇の詩をさらに隠喩的に構築していく。そのなかのことばがときにある意味性において換喩的に見えることがあっても、それはすでに全体的な隠喩的世界のなかにあっては隠喩の下位区分として把握すべきものである。端的に言って、詩のことばにおいては換喩的なことばも隠喩的にしか作用しえないのである。

こうした詩の世界は個々の作品世界において隠喩的世界であるにとどまらず、その詩人のすべての作品、さらにはほかの同時代のすべての詩作品とも共時的であり、それらとの関係の広がりのなかでさらに広大な隠喩的世界を共有しているとも言うことができるし、もっと言えば、過去の詩的作品とも通時的にもっと広い隠喩的世界を共有しており、そうなると言語を異にする世界じゅうの古今東西の詩的世界とも接続しているのである。それが詩というジャンルを歴史的にも同時代的にも形成していることはあらためて言うまでもない。

これはたとえば音楽の世界においても言えることであって、スーザン・K・ランガーは『シンボルの哲学』の注のなかで音楽学者A・ゲーリングのことば——《相互に無関係な作品も、相互に関係のある作品と同じくらい、必然的に影響しあうものである。音楽の全領域はただひとつの巨大な作品とみなしてもよい。というのは、そこに書き表わされたどの音符も、楽音の全領域にわたってその影響を及ぼすからである》(『シンボルの哲学』三〇一―三〇二ページ)――を引用しているが、これと同じ意味で詩の全領域もひとつの巨大な作品と言ってもいいかもしれないのである。詩のことばのひとつひとつは個々の作品におけるそれぞれの意味作用を離れてそれぞれことばの経験の共同性を生きることにもなる。そしてこのことは個々の詩人の自覚を超えた、詩という表現世界の本質を貫くことばの力を証すのである。

みずからの原点を穿つこと

現代詩の世界に同時代者として二十年以上ぶりに立ち戻ったわたしにとって、『現代詩手帖』二〇二〇年八月号が特集《現代詩アンソロジー 2000-2009》をおこなっているのを見て、また次号九月号の予告ではさらにその後の十年間の総括をするというのを見て、ちょうどわたしのブランクの期間を内部から補填してくれるものとすこしは期待したが、討議[☆2]を読むかぎり、こういう企画の性質上やむをえないことかもしれないが、特別になにか発見があるわけでもなかった。いわゆる詩壇のなかの小政治家たちの整理のしかたを見ても、この期間に大きな詩論的問題提起があったわけでもなく、時代のさまざまな偶発的状況(東日本大震災、コロナウィルス問題など)にたいする対症療法的な作品やその評価といった言辞が並べられているだけである。若い詩人たちの発語の根拠のなさに由来する〈わからなさ〉にたいする批評軸が存在しな

☆2 『現代詩手帖』二〇二〇年八月号の討議「二〇〇〇年代、詩に何が起こったのか」。討議参加者は、瀬尾育生、野村喜和夫、小池昌代、蜂飼耳。

いことにたいして打つ手なし、といった感慨が述べられるばかりで、いまだにそんなことを言っているだけなのか、と思うと軽い失望感に見舞われた。

この二十数年のブランクとは言っても、わたしもまったく読んでいなかったわけではないから（すくなくとも『現代詩手帖』はずっと送ってくれたので読んでいた）、おおよその感覚はわたしも共有できないわけではない。個別的にはすぐれた業績もないわけではもちろんないが、それにたいして有効な批評軸がなにも提示されていないことが問題なのである。そんななかからこの「言語隠喩論」は萩原朔太郎以来の詩の原理論を打ち出すべく、メディアの無関心にもかかわらず、ここまで掘り進めてきたのである。オグデンとリチャーズはそんなわたしにとって大いなる導きのことばを記してくれている。

> 人がしばしば手をつけた題目では、正しい場所であってもなくても、とにかく大通りがはっきり標示されていて、精神的旅行者はある周知の地点に到着することを保証されている。その場所がはたして訪問に値するかどうかは別問題として。そしてりっぱに世間に認められた学者に仲間入りできるのが普通である。しかるに、新しい題目、もしくは境界線にある題目にあっては自己に頼るほかはない。どこにより多くの興味と重要性があるかということや、どういう成果を期待できるかということは、自分で決めねばならない。試掘者の立場にあるのである。
>
> （オグデン／リチャーズ『意味の意味』二一ページ）

ある詩誌編集者は、隠喩とか換喩とかはどうでもいい、もっと生産的な仕事を望みたい、とわたしに言って啞然とさせたことがある。わたしの言語隠喩論より以上に詩にとって生産的な（すくなくとも可能的には）仕事があるとは思えないのにである。多くの詩人たちも同様に、言語の本質的隠喩性に思いをめぐらすことなく、従来の安易な隠喩＝ことばの置き換え・代用説のレベルの固定観念にとどまっている。ことばの本質に無関心な詩人たちがみずからの詩的言語の形成に困難を来たしているのは、なにも現代社会の閉塞感といった逃げ口上が安易に準備されているからではなく、言語の本質についてこれまで歴史的に累積され、いま現在もさまざまに論究されている問題に深くかかわってみようとしないからである。現代詩は無手勝流で現代的課題にぶつかっている。発語の根拠のなさは、もっと根本的にはみずからの発語の根拠を探ろうとしないみずからの無知と怠惰にもとづいていることが、当の詩人たちにも編集者たちにもわかっていないことがなによりも根底にあるのである。問題意識のないところにどうして現代詩の打開策など見出せようか。〈こうしてことばが開く深淵に時代とともにみんなして墜ちていくのである〉（拙詩集『発熱装置』二四頁）。現代詩の貧困はみずからに起因しているのである。

こうした詩的情勢論の生産性なき議論を超えて、あるべき詩はもっとみずからの存在の根源に降りていくところから発せられることばを探しもとめるべきではないか。その意味でわたしにとって衝撃的だった詩のひとつが沖縄の詩人、高良勉の「ガマ（洞窟）」である。すこし長いが、以下に全行を引用したい。

隆起珊瑚礁から生まれた島々を
数万年もの間　雨水や炭酸ガスが溶かし
地底の奥深くまで　鍾乳洞が拡がっている
恥毛のような草むらの中に
紡錘形の口を開き
島の腹部は　ガマ（洞窟）だらけだ
ああ　聖なるかな　島の子宮よ

ロウソクの灯りを頼りに
ガマの迷路を降りていく
頭上からは　大きな白い乳房が垂れ
しきりに滴が落ちてくる
足下はぬかるみ　川が流れる
底なし沼を湛えながら

クラガー（暗河）は地底から
海まで流れているのか

数軒の家が建つであろう
大空洞の彼方　に拡がる闇
ホッ　ホーイッ　と呼びかけても
こだまは返ってこない
その闇の中　数えきれぬ人間たちが
うごめいている　わめいている
艦砲射撃で左肩をやられ
目と耳を失った　父がうなっている
看病しているのは戦友か　母か

もう　ガマの中の陸軍病院は撤退し
地上からは　米軍の手榴弾や
ガソリン爆弾が　投げ込まれてくる
ガマの奥深く　逃げていく

「従軍慰安婦」たち　戦争は何年続いたか
地中の暗闇から　真夏の青空へ
やがて父や母たちが　捕虜となって
はい上がってくる　ノミやシラミ
ウジ虫に喰われた　身体を引きずって

その母の子宮の中　小さな
私の命が宿っている
ガマから生まれた　戦後の命が

（高良勉詩集『ガマ』一〇―一三頁）

この詩は一九九五年に沖縄の雑誌に発表されている。詩集の「あとがき」によれば、《日本の敗戦後五十年が過ぎていた。私は、どこから生まれて来たのか。そして、戦後五十年余の生とはどのようなもので、いかなる意味があったのか考えていた。／一人一人のかけがえのない生活のいとなみに、言葉を与えること。その表現を掘り下げることで、螺旋状の普遍的なテーマが見つかるか。生と言葉の葛藤の中から、存在と魂を共振させるような詩が立ち上がるのを祈っている。できれば、宇宙と生命の誕生にまで遡行できるような。》（同前九二頁）とあるように、戦後五十年の時点で、当時のヤマト＝本土での形式的な戦後五十年騒ぎとはまったく違って、戦後といっても沖縄戦の悲惨をいまだ引きずる沖縄社会のなかで高良が選び取ったテーマはみずからの存在の根底をことばによって掘り下げ、普遍的な問題として浮上させることであった。高良のことばはたしかな実体を具えていて、いまの現代詩のような空疎なところがない。それは高良がみずからの存在理由を明確にし、沖縄に生きることの意味をそこに重畳させていくための心底からの叫びでもあったからだ。ここでガマとは沖縄によくある洞窟のことであり、第一連はその島の地形学的成立を説明するとともにひとつの想像的宇宙を立ち上げ、そのガマこそが聖なる〈島の子宮〉であるという認識がまず示される。しかしその〈島の子宮〉はその多数性と構造上の特性から沖縄戦においては日本軍と沖縄住民の隠れ場所として利用され、とりわけ日本軍は自分勝手な都合により住民をガマから追い出したり、米軍に見つからないために泣く赤子の口をふさいで殺したり、あげくのはては住民を集団自決にまで追い込むといった残虐な戦争犯罪のかぎりを尽くしてきたのであった。もちろんガマに日本軍や住民が隠れていることを知った米軍は手榴弾やガソリン爆弾を投げ込んで中にいる者を焼き殺したり、投降を呼びかけたりした。そのなかには日本軍に徴用され、土壇場まで兵士たちの性欲のはけ口とされた「従軍慰安婦」たちまでいたのである。

しかし高良勉は、〈ノミやシラミ／ウジ虫に喰われた　身体を引きずって〉ガマからはい上がって捕虜になった男や女たちこそが戦後に自分たちを生み、戦後沖縄の再生を可能にしたと言うのである。〈その母の子宮の中　小さな／私の命が宿っている／ガマから生まれた　戦後の命が〉という最終連の衝撃的なフレーズこそが高良の高らかな存在宣言となっているのは、そうした苦難を乗り超えた沖縄人たちの存在の根底がガマという〈島の子宮〉であり、そのなかに胚胎されたもうひとつの子宮、すなわち母胎から生まれ出たのが自分たちという〈戦後の命〉だという宣言なのである。

　ここで間違ってはいけないが、この〈母の子宮の中　小さな／私の命が宿っている〉というのは高良勉自身のことではない。高良は一九四九年生まれだから、戦争中に母の子宮に存在したわけではない。だからこの〈私〉とは普遍的な〈私〉であり、〈ガマから生まれた　戦後の命〉のそれぞれひとつひとつの表象である。言うまでもないだろうが、この「ガマ」という詩の時間は想像力のなかで複層化されており、過去の時間と現在時がリアルタイムで共在している。戦時中の出来事が想像力のなかで再構成され、ガマの中での時間と戦後の時空間が編みあわされる。だからこそ〈戦後の命〉は戦時中のガマから生み出されるのである。ガマの中で〈戦後の命〉を生み出す将来の父や母たちはそれこそ命がけでみずからの生命を守り抜いたのである。住民の三分の一とも四分の一とも言われる死者の犠牲を天皇制日本帝国軍によって捨て石として強いられた沖縄住民にとっては、ひとりひとりが生き延びることが沖縄という島社会を生き延びさせることにつながるという強いモチベーションと結びついていたはずである。

そのことを高良勉の詩はガマという子宮の生産力、復元力を賛美するかたちをつうじてそこから生まれた自分たちの存在の原点を見定めたのである。高良はその詩においてありうべき自分たち世代の像を創出した。仲里効がこの高良勉の詩にふれて「沖縄の戦後世代は沖縄戦の死者たちの住む《聖なる穴》を産褥にしている、という出生の原風景」(「ガマからガマへ――沖縄戦後世代のオブセッション」、『遊撃とボーダー』四四頁)を見てとっているのは、沖縄における生の実感に根ざしたものなのだろう。

こうした沖縄の戦後世代の詩がもつことばの力、歴史的現実に密着しながら詩的想像力をことばに託して拡張していく力こそ、詩のことばが隠喩としてどこまでも想像の世界を広げていく可能性を示唆している。現代詩の貧困とは、こうしたみずからの生の原点を穿ち、そこからほんとうの意味での生きることの意味とつながる詩のことばを紡ぎ出す危機意識の不足から生じていることなのではないだろうか。

現代詩の多くの担い手たちが、にもかかわらず、自分のほんとうに書きたいこと、書くべきこと、書かざるをえないことを書いていて、それが自己満足や自己慰藉にとどまらず、他者との接点をもとめようとしているかということにかんして言えば、およそそういう詩にめぐりあうのは稀であると言わざるをえない。小さな仲間評価やメディアの浅はかな理解などに甘んじているだけのように見える。そんなものは時間が過ぎれば、いずれ消滅してしまうものにすぎない。

書くことの戦慄

高良勉の「ガマ」における戦後世代の自己実現への欲求が戦時中のガマ（洞窟）への洞察から発現したように、みずからの生の終極的イメージを日原鍾乳洞の石のあいだに見出した詩人がいた。高良の「ガマ」を読んでいて、同じ鍾乳洞のイメージから必然的に想起されたのが、一九八五年に三十歳の若さで亡くなった氷見敦子である。氷見の壮絶な最後の詩が「日原鍾乳洞の『地獄谷』を降りていく」である。氷見についてはすでに何度か書いているが[☆3]、亡くなる最後の二年間ほど隔月発行の同人誌『ＳＣＯＰＥ』で活動をともにし、その最期を見とどけたという個人的な追憶以上に、その生きることへのすさまじい情念の迸りをいまの現代詩からは感じられないものとして再認識せざるをえない。書くことがそのまま生きることであったような存在が身近にいたということ、そのことをこの「言語隠喩論」の文脈であらためて考えてみたいのである。

　氷見のこの絶筆「日原鍾乳洞の『地獄谷』を降りていく」は『ＳＣＯＰＥ』16号（一九八五年十一月）に掲載されたが、氷見はこの作品を活字で見ることはできなかった。氷見はその年の十月六日に胃癌でこの世を去っていたからである。（翌一九八六年一月に刊行された『ＳＣＯＰＥ』17号は「追悼・氷見敦子」として同人のほか十三人の詩人たちの追悼文を掲載している。）

　さて、氷見のこの作品は十四連からなり、かなり長いので残念ながら一部省略して引用せざ

☆3　「氷見敦子論のためのエスキス」『瀧林』24号（一九八五年三月）、のちに拙著『詩の時間、詩という自由』れんが書房新社、一九八五年、に収録。「あるこだわり」『ＳＣＯＰＥ』17号（一九八六年一月）、「いくど目かの戦慄」『氷見敦子全集』栞、思潮社、一九九一年。最後の二本は、一九八五年十月十日の氷見敦子葬儀のさいに読んだ「弔辞」とあわせて、のちに拙著『隠喩的思考』思潮社、一九九三年、に収録。

るをえない。

その日を境に
急速に体調が悪化していった

明け方、喉の奥が締めつけられるように苦しく
口に溜まった唾液を吐き出す
胃を撫ぜさすりながら
視線が、白み始めた窓の外へさまよっていく

八月、千石からレンタカーをとばし
奥多摩の陽射しをぬって（井上さんといっしょに）
日原鍾乳洞に入った
（中略）

蛇行する道を
引き込まれるようにして進む

左右から鍾乳石が不思議な形で追って来て
軀を小さく沈めるようにして歩く

一晩中、鈍い腹の痛みが続いた
何度も寝返りを打ち
軀を眠りの穴へ追い落とすようにするのだが
痛みに引きもどされ
呻くしかない
まどろみながら夢のない夜を渉っていく

冷気が洞穴に満ちているので
思考する温度が急速に下がり始める
かつて、狭くて暗い道を通って来たことがある
という記憶が
脳の奥で微かにうづくようだが
恐怖はなく
本能だけがわたしの内部をぼんやり照らし出している

柔らかい胎児の足が
濡れた道をこすって穴の奥へ這い寄っていく

下腹部が張り
死児がとり憑いたように腹が脹らんでいる
胃と腸が引きしぼられるように傷み
軀をおこすこともできず
前かがみになってのろのろと移動する

（一連略）

（中略）

重なり合った鍾乳石の割れ目にぽっかりあいた穴の果ては
見きわめることもできず
目を凝らすうちに
とりかえしのつかない所まで来てしまったことに気づく

（中略）

（一連略）

「三途の川」を渡って「地獄谷」に降りる
地の底の深い所に立つわたしを見降ろしている井上さんの顔が
見知らぬ男のようになり
鍾乳石の間にはさまっている
ここが
わたしにとって最後の場所なのだ
という記憶が
静かに脳の底に横たわっている
今では記憶は黒々とした冷えた岩のようだ
見上げるもの
すべてが
はるかかなたである

九月、大阪にある「健康再生会館」の門をくぐる

ひた隠しにされていた病名が明らかにされる
再発と転移、たぶんそんなところだ
整体指圧とミルク断食療法を試みるが
体質に合わず急激に容体が悪化する

夜、周期的に胃が激しく傷み
眠ることができない
繰り返し胃液と血を吐く、吐きながら
便をたれ流す

翌日、新幹線で東京へもどる

（『氷見敦子全集』一三七—一四〇頁）

結局、省略できるところが少なく、長い引用になってしまった。しかしながらこの詩に付け加えるべきものはなにもない。それほどまでに氷見のこの切迫した詩のことばは鬼気迫るものがあり、よけいなことばを挟むことを許さないからである。（なお、作品のなかに出てくる「井上さん」とは氷見の連れあいであった詩人の井上弘治をさす。）これを氷見は日原鍾乳洞への探訪のあと、胃癌の宣告を受けに大阪まで往復したあとに鍾乳洞の記憶をたどりながら書いているのだ。そのことを考えると痛ましさが胸を衝く。しかし息を引き取る一か月まえに〈わたしにとって最後の場所なのだ〉と書くことができる生への執念とそれにもまさる死への断念の深さをわたしたちは見ないわけにはいかない。三十歳という若さでこうした非業な経験を、書くことによって昇華しようとする氷見敦子という存在は、わたしたちにいったい何を教えるのだろう。生き急ぐように書くことに立ち向かった氷見は、みずからの死をどこまで悟っていたのか。詩を書くことによってみずからの生と死を問い、ことばの力を信じて現実とは別のもうひとつの世界へ、軀ごとことばの世界へ入ってしまったのである。氷見の命は短かったが、この作品一篇だけでも氷見敦子という詩人の存在とそのことばは不滅のものになった。

わたしは『氷見敦子全集』（思潮社、一九九一年）の栞のなかで「いくど目かの戦慄」と題してこの詩の部分を取り上げたが、あらためて氷見の詩を書き写していて、さらなる戦慄にとらわれざるをえなかった。氷見敦子は三十歳でなくなったが、このときわたしもまだ三十六歳だった。こうした経験があるからこそ、詩のことばには現実を超越し別の世界を切り拓く、戦慄するべき力がときに宿ることを知ることができたのである。

高良勉の詩も氷見敦子の詩も、いまの発語の根拠不在の現代詩からすると無縁のものであることは一目瞭然としている。そこには生きる場所にもとづくあるべき生にたいする存在への希求があり、あるいは絶対的な死へむけて崩壊する自身への救抜の断固たる思いがある。いずれもそれがことばに託されるかたちで詩を必然化しているからである。そこには明快な根拠があり、そこへ向かってみずからのことばを掘り下げようとする必死の思いがこめられている。

しかし、こうした詩を別にすると、根拠をもたない現代詩がいまは跋扈しており、それを批評的に肯定も否定もできない現状がある。かつてポスト戦後詩的な現代詩の状況を〈修辞的な現在〉と呼んだ吉本隆明は、晩年には最近の現代詩を《いってみれば、「過去」もない、「未来」もない。では「現在」があるかというと、その現在も何といっていいか見当もつかない「無」》(『日本語のゆくえ』第五章「若い詩人たちの詩」二二九頁)だと呼んで、匙を投げてしまった。そこまで全否定されても、若い詩人たちからはほとんどまともな反論的批評も出てこない現状がある。いまさら吉本隆明のご託宣に抗ってもしかたがないとでもいうのか、若いひとたちの無気力ぶりが気になってしまう。

たしかに大都市に生息する若者たちが、今回のコロナウィルス問題によってさらに累乗された先行き不安、展望なき世相にたいして発語の根拠をもちにくい実情はよくわかる。こうした不透明感にたいしてことばにすがる気持ちになるのもわからないわけではない。とはいえ、生活的にとりわけ逆境にあるわけでもなく、漠然とした不充足感のなかで、詩を書くこと以外に方策の見つからない人間にとって、手応えのないことばを書き散らすことでなにかが満たされるはずもない。吉本隆明は先にふれた本のなかでこうした詩のありかたについて率直な感想を述べている。《いまの若い人たちの詩はもう、うわっという感じで、これはわからない。詩自体がわからないということがひとつ。もうひとつは、なぜこういう詩を書くのかということがわからない。両方の意味でわからない》(『日本語のゆくえ』二五二頁)と。世代はちがうが、わたしもまったく同感である。みんながわかったつもりでいることがまたわからない。年寄りの冷や水でもあるまいし、どこがいいのか説明することもなく、ただ若いひとに迎合しているベテラン詩人がたくさんいるのも困ったものである。

それではおまえはどうか、という声が聞こえてきそうな気がする。

それにたいするわたしの答えは。ことばがもつ潜在的な可能性をいまよりさらに追求する以外にない、ということに尽きる。ことばが意味をおのずからもってしまうことにたいするいわれのない怖れがいまの詩人たちの多くに蔓延している。それは若いひとに限ったことではなく、詩のことばが意味をもつことをあたかも時代遅れであるかのように喧伝する詩人たちもいて、ことばが字義通りの意味を孕んでしまうこと、あるいはそのことばがなにか別の意味に言い換えられてしまうことをひたすら怖れている。もちろん社会通念にすぎないような既存の意味をたんに行変えしただけの形式に押し込んでしまう自称社会派がいて、かたや死んだ隠喩と化した常套句を並べただけの日常詩もある。いずれにせよ、こうした新たな発見のともなわない詩なら《なぜこういう詩を書くのかということがわからない》(吉本隆明)という疑問にぶつからざるをえない。要するに、こういう詩なら書かれなければいいのである。

レトリックという発見的認識

佐藤信夫という言語学者は、詩の問題に直接かかわったわけではないが、日本語におけるレトリックの問題をさまざまな角度から考察したひとである。佐藤は『レトリック感覚――ことばは新しい視点をひらく』(講談社、一九七八年)のなかで、古代レトリックの役割として、第一に《説得する表現の技術》、第二に《芸術的表現の技術》を挙げたうえで、現代レトリックにおいては第三の役割として《発見的認識の造形》という観点があるのではないか、という認識を打ち出した。(『レトリック感覚』一五頁)大学入学当初からレトリック(修辞)の問題に関心をもっていたわたしは、日本の学問状況にあまりくわしくなかったせいか佐藤信夫という研究者がいることを知らなかったが、一九七八年九月に刊行された『レトリック感覚』を半年後の第5刷で読んで、たいへん感銘を受けた。わが意を得たり、といった読後感があった。このジャンルの本としては空前のベストセラーとも言っていいこの本は、それまで概してあまりいい意味で使われていなかったこの〈レトリック〉ということばを全面的に肯定的な意味で顕彰し、佐藤信夫は一躍、日本におけるレトリック学の推進者となった。その後、この本の続篇として『レトリック認識――ことばは新しい世界をつくる』(一九八一年)を同じく講談社から刊行し、これもよく読まれたはずである。どちらの本にも井上ひさしが絶賛のオビ文を書いていることでも、そのセンセーショナルな意味がわかるだろう。

いつごろかはっきり記憶がないのだが、わたしは佐藤さんに接近してその面識を得ることになって、佐藤さんの人柄に惚れ込むとともに日本で最初のレトリック学会を創立しませんか、といったことまで話をもちこんで意気投合したことを覚えている。また佐藤さんのレトリック論が主として小説をターゲットにしており、詩をレトリック論の立場から論及してほしいといった勝手な注文までお願いしたこともある。一九八六年に青土社から『言述のすがた――《わざとらしさ》の修辞学』と岩波書店から『意味の弾性――レトリックの意味論へ』という学術書が刊行されたときには寄贈までしてもらった。ところが残念ながら、わたしが仕事にかまけてもたもたしているうちに佐藤さんは長い闘病の末、一九九三年になんと六十一歳の若さで亡くなられてしまった。学会設立の夢も消え、わたしのレトリックへの関心も水を差されてしまったのである。

いまから思うと、わたしの関心はフランス語圏のヌーヴェル・レトリックによって焚きつけられたレトリック全般への関心から、ロマン・ヤコブソンの隠喩／換喩論を経て、さらに佐藤信夫によって日本語でもレトリックの問題を考えることができるということに目を啓かれ、徐々に詩的隠喩論のほうへ引き寄せられてきたことがわかる。それは詩を書くという行為を断続的ながらも継続しているなかでおのずから形成されてきた問題意識だったと言えるだろう。だから一九七八年に吉本隆明の『戦後詩史論』(大和書房)が出て、そのなかで「修辞的な現在」の章が書き下ろしで発表されたとき、この論旨に〈修辞〉ということばが否定的な意味で使われたことに同調することはできなかった。わたしには〈修辞〉ということばは、安易に「たんなるレトリックにすぎない」というような技術的装飾的なペジョラティフな意味あいで理解されるべきではなく、佐藤信夫的な生産的な概念、《発見的認識の造形》という視点から把握されるべきだと思っていたからである。このことはむろん、いまもまったく変わらない。ただ、いまは詩を書くという観点からのみレトリックの問題、とりわけそのなかの隠喩の問題に焦点をしぼって考えたいと思っているから、吉本の〈修辞〉概念の理解の浅さをさしあたっては問題にしないだけのことだ。

とはいえ、現代詩人のなかで〈喩〉の問題を理論的な枠組みで大きく取り上げたのは吉本隆明が最初であり最大の存在だから、ここでも何が問題なのかだけでもふれておかないわけにはいかないだろう。たとえば、晩年の二〇〇九年に新潮文庫から刊行された『詩の力』という小著がある。これは二〇〇三年に毎日新聞社から刊行された『現代日本の詩歌』を改題したものらしいが、原本を見ていないので、この本を参照すると、戦後詩にたいして吉本はこんなことを書いている。

『荒地』の詩人たちをはじめとする戦後派の詩の特徴は何かというと、暗喩や直喩といった方法を自由自在に人為的に取り出せるようになったことだ。

（『詩の力』一一二頁）

ここで何が問題かというと、吉本にあっては暗喩（＝隠喩）や直喩というのはあくまでも詩の方法のひとつであって、必要におうじて《自由自在に人為的に取り出せる》ものにすぎない、と言っていることである。吉本にとっては〈喩〉とはあくまでも外在的な方法なのであり、詩はそうした方法を出し入れすることで実現するものなのである。この本のなかの「鮎川信夫」という小論で吉本はみずからの詩の成立についてつぎのように吐露している。――《私は『荒地』の詩人たちの作品を読んで初めて、プロレタリア詩と違ったやり方で現実を詩の中に導入できることを知った。それはたいへんな驚きで、彼らの詩をお手本にしながら、私も自分の現実感を詩として表現できるようになっていった。》（『詩の力』一三三頁）

これが吉本隆明の詩の表現論の本質だとすれば、吉本にとって詩とは自分の現実感をことばで盛りつけるための器だということになってしまう。そこにしかことばのリアリティを感じられることができないとすれば、それは吉本の詩の方法論の限界を現わしているにすぎない。それが吉本の詩それ自体を示しているかと言えば、もちろんそんなはずはないのであって、吉本ほど明敏な意識にもとづいて書かれた詩のことばであっても、当人の意図したところを超えていってしまうのが詩のことばの力なのである。それは吉本にかぎらず、詩人のことばは詩人の意識を超えて、ことばの無意識とも呼ぶべきことばが歴史的にも想像的にも蓄えてきた力によって凌駕されるという性質をもっているからにほかならない。わたしが詩のことばにもとめる本質的隠喩性とは、ことばの技法の導入の問題ではもはやなく、ことばを詩として発すること、ことばを詩として書くことがおのずからことばの領域を拡張し、現実世界とは別個の新たな世界を発見的に認識し造形することにつながるという創造性である。詩は現実世界からリアリティを汲み上げることがあるとしても、詩として構成される世界は書き手の現実感を超越していくものでなければならない。

ジョルジョ・アガンベンは、言語自体の言語活動の経験の可能性について論究している。

カントが超越論的なものの概念を分節することができたのは、言語活動の問題を立てるのをなおざりにしたかぎりにおいてであったというのが真実であるとすれば、これにたいして今日では、「超越論的」とは、ただ言語活動のみにささえられた経験、そこにおいて経験されるのが言語自身であるような、言葉の本来の意味においての〈言語活動の経験〉(……)をこそ、指すのでなければならない。

(『幼児期と歴史』四ページ)

これはまさに詩のことばのありようを問題にしている発言だ。カントのように超越論的(先験的)にではなく、言語自身が言語活動を経験する、という視点を打ち出されている。ことばが詩においてこの言語活動の超越論的経験であることはもはや論を俟たないであろう。

第六章　詩作とはどういうものか

言語隠喩論の中間総括

《メタ言語こそがまさに言語の領域において自意識がとる形であり、それはみずからを語る言語、そのシニフィエがそれ自体で記号体系であるような一組の記号なのであり、……》（『言語の牢獄』二一八ページ）と構造主義をめぐる解説本のなかでF・ジェイムソンは書いている。わたしがここまで書きつづけてきた詩の本質をめぐる議論とはまさにメタ言語と呼ばれかねない種類の言説ではあるのだろうが、そうするとこの「言語隠喩論」なる言説も《言語の領域において自意識がとる形》であり、《みずからを語る言語、そのシニフィエがそれ自体で記号体系であるような一組の記号》ということになるのであろうか。これはどうもちがう気がする。わたしは詩について語ろうとしているのだが、より厳密には詩作とはどういうものか、それが帰結する言語の形式とはどういうものであらざるをえないのか、ということについて思考を重ねてきたつもりである。それは詩を書くことをめぐる形而上学ではない。言うまでもなく、詩がどのように書かれねばならないか、といったことについては一義的に書くことはできない。詩人がどのように発想し、どのようにことばの世界に分け入り、切り拓いていくのかはその詩人独自の想像力の問題であって、あらかじめ一般的な方法を設定することなどできない相談だからである。しかしその一方で、この詩作の方法についてなんらかのヒントを導き出したいといった、困難で無謀な企みをひそかに抱いているのもたしかなことである。それもすでに書かれた詩を後付け的に批評し価値づけるのではなく、まさにいま生まれようとしている詩の胎動をこそリアルタイムで捉えられないものか、といったますます困難な課題への挑戦を試みようとしているわけである。

そういうわけであるから、これまでに書かれたさまざまな隠喩論を参照したかぎりでも、わたしのこの野心を満たしてくれるものはなかなか見つからない。哲学者、言語学者はなにかと隠喩あるいは修辞学について言及するけれども、隠喩の本質的な創造性についてはその現象面についての外在的解釈と項目分類、せいぜいその哲学的価値づけといったところにとどまっているようにしか思えない。すくなくとも、詩を書くという立場からその点に言及しているのは、詩を書いた経験をもつヴィーコやニーチェといったごくわずかなひとたち、そして詩人たち自身の、直観に充ちてはいるが論理的な体系性のない断片的なことばを探索していくしかない。詩における言語の無意識と意識的形成（構想力）[☆1]の探究はおのずから言語それ自体の意識化に進まざるをえない。わたしの「言語隠喩論」とはそうした手探りの模索なのであり、これまでになされたことばと隠喩をめぐるさまざまな理論や研究を手がかりにそのひとつひとつを

☆1　リオタールはカントの『判断力批判』四九節における〈構想力〉という概念を〈概念なき直観〉と呼んでいる。詩を美学的理念の能力の最高度の達成とみるカントの思想の的確な要約である。リオタール『文の抗争』三〇六ページ。

検討していくなかから問題をさらに深め、広げていくしかない。

したがって、この「言語隠喩論」の試行錯誤はもとより覚悟のうえでのことであって、詩人のなかにさえ、現状に満足してこの試みに耳を藉そうとせず揶揄する者もいるぐらいだから、現在の詩の危機は相当に深いと言わざるをえないだろう。そんななかでレヴィナスのつぎのことばはさすがに事態の本質を鋭く射抜いている。

学者や哲学者の理論は、主題として彼らの役にたつ対象となんの曖昧さもなく関わっている。詩人の理論は、彼が語るすべてのことと同様に、曖昧さを秘めている。なぜなら、対象を表現することではなく、対象を創造することがそこでの問題だからだ。

（「プルーストにおける他者」、『固有名』一五八ページ）

わたしの試みが「理論」として成立しようとするなら、ここでレヴィナスが指摘しているとおりの問題が生じているはずである。「理論」は建設途上であり、「曖昧さ」は甘受しよう。残された問題はまだまだ山のようにあるから、終りのない仕事になるだろうが、ただ、ここまで書いてきたことで自分なりに解明できたこともすくなからずあり、ここらでいちど詩を書くという行為の本質的隠喩性について論点整理をしておいてもいいだろう。

詩人は未知の詩のテクストを書きはじめるにあたってどんなことばをまず配置するのか。この配置という言い方が適切かどうかはひとまず別にして、おそらくその詩の核になるキーワードないしキーコンセプトを暗示することばというものが見つかることによって、詩は起動するはずである。そのことばが詩のはじめに置かれるとはかぎらないが、どこに置かれようと、そのことばを起点として詩の独自のイメージ世界が展開されるだろう。場合によっては逆にイメージが先行し、それを体現することばが探しもとめられることもあるだろう。このことばが見つからなければ、いつまでたっても詩は発生しない。このことばはなにも特別な語である必要はなく、ごく日常に見出される語であってもいいのである。ただし、そのことばがその背景になにかしら詩人にとって固有の未知の世界、未知の意味、未知のイメージをかかえていなければならない。そうしたものがなければ、その最初のことばは既成の日常的な意味連関から脱け出すことはできないからである。そうした未知の世界をかかえたことばの発見がつぎのことばを動かすのである。そこに既成の意味連関、政治的イデオロギー的な日常性がはいりこまないように気を配ること。その意味で詩のことばは日常言語との安易な連結を拒否するものでもなければならない。詩はたんなるメッセージでもなく、小市民的な理解に迎合するようなわかりやすさとはいったん手を切るところからしか発動しない。このことは詩の高踏化を意味しない。

　この最初の、詩を起動することばが隠喩として設定されることばであることはもはや言うまでもないだろう。このとき、このことばはなにか既知のものの字義通りの意味を指すものでもなければ、なにか別のことばの言い換えでもない。わたしの言う隠喩がすでに古典的修辞学の言う意味での隠喩を超えていることはこのことからも理解してもらえるだろう。詩のことばは〈生きた隠喩〉(リクール)としてテクストのなかにいのちを与えられるのである。わたしが前章で佐藤信夫の《発見的認識の造形》というレトリック(ここでは隠喩の意味に解してよい)を積極的に推進しようと提唱したのはこの意味においてである。

この論点をわかりやすくするために、ひとつの例で考えてみよう。

吉岡実の最初期の詩に「卵」という短い作品がある。

神も不在の時
いきているものの影もなく
死の臭いものぼらぬ
深い虚脱の夏の正午
密集した圏内から
雲のごときものを引き裂き
粘質のものを氾濫させ
深閑とした場所に
うまれたものがある

ひとつの生を暗示したものがある
塵と光りにみがかれた
一個の卵が大地を占めている

（『吉岡実詩集』一二頁）

イメージの詩人とも呼ぶべき吉岡実の初期の詩にはとりわけ絵画的な作品が多い。この作品も詩集『静物』のなかの一篇で、この詩集のなかには何篇かの「静物」という、いずれもきわめて印象的な作品があるが、ここでは短いこのテクストを見ておこう。
ここで注目すべき一行は冒頭の〈神も不在の時〉と最終行の〈一個の卵が大地を占めている〉だと思う。吉岡においてはまずこのどちらか、あるいはこの両方が発想の起点になったのではないかと思われる。この二行が見出されたことによって詩の骨格はできあがり、そのあいだをつなぐべく二次的な詩的論理のことばが紡ぎ出されたのであろう。いや、吉岡的イメージの世界では、最後の〈一個の卵が大地を占めている〉という静物画的なイメージがやはり先行したのかもしれない。サルバドール・ダリとかイヴ・タンギー、さらにはルネ・マグリットのシュルレアリスム系の絵画を髣髴とさせる、ひとつの巨大なオブジェが画面にクローズアップされた静かな世界。〈神も不在の時〉とはそうしたイメージが成立するための初期条件として呼び出された観念なのであろう。〈神も不在〉ということはほかの存在物もなにもない〈深閑とした〉世界という意味を含意する。神でさえも不在という世界である。つぎの行が〈いきているものの影もなく〉とされているのは論理的必然というべきだろう。さらに三行目と四行目の〈死の臭いものぼらぬ／深い虚脱の夏の正午〉でこの世界の超越性がダメ押しされる。こうした世界の無機的な出現に『創世記』的な宗教性は微塵もない。だからこそ冒頭に〈神も不在の時〉と言明されているわけだし、この無機的世界の出現を最終的に〈一個の卵〉という存在に結晶させた吉岡の詩学は劇的だとも言えるだろう。そこから五行目以降の〈密集した圏内から／雲のごときものを引き裂き／粘質のものを氾濫させ／深閑とした場所に／うまれたものがある〉として〈一個の卵〉が引き出されてくる。あるいは逆に、この卵の存在の先見的発見からなにやら〈雲のごときもの〉を引き裂いて〈粘質のもの〉（つまり卵）が出現し、うまれてくるというイメージの流れがたぐり出されているというべきかもしれない。発想がどちらが先かは推測にすぎないが、いずれにせよ、吉岡的神話世界はこうしたイメージと観念の先行性がことばの自律性を呼びつけているといった形式をもっている。この場合、〈一個の卵〉とはすでに神にも見紛う絶対的存在、あるいは神なき世界における絶対的存在の隠喩であることは見やすいだろう。しかしここで注意しておきたいのは、すでにして〈神〉というもの自体がなにか実体的なものであるわけではなく、それ自体が宗教的な意味での絶対的存在の隠喩にすぎないということである。そうすると、ここでの〈一個の卵〉とはたんなる隠喩ではなく、バシュラールのことばで言えば、隠喩の隠喩（『火の精神分析』二〇〇ページ）ということになるだろう。

吉岡実はイメージの詩人であると同時にことばの詩人であり、すなわちことばの隠喩性をきわめて意識的に探究した詩人だということがわかる。ちなみにこの〈一個の卵〉のイメージはこの作品の前にある「静物」（の一篇）のなかでも〈そこには夜のみだらな狼藉もなく／煌々と一個の卵が一個の月へ向っている〉（『吉岡実詩集』一二頁）という印象的な詩行の屹立として、こんどは〈一個の月〉に対峙するものとして定着されている。ここでなぜ〈一個の〉月なのか、月はひとつに決まっているではないか、と問うような野暮なことは言うべきではない。〈一個の卵〉と対峙するのは〈一個の月〉でなければならないからだ。それが詩のレトリックというものであり、詩的論理なのである。詩の隠喩とはすでにことばの通常の理解を超えているものであり、これを日常世界の論理性のなかで擬論理的レトリックとみるような理解は、詩の感興とはおよそ無縁の感受性の貧困にすぎない。

隠喩理解の平板な思い込みの誤り――レイコフ／ジョンソンの隠喩論

こうした日常世界のなかの隠喩的レトリックを退屈なほど冗長に価値づけようとする論にレイコフ／ジョンソンの『レトリックと人生』☆2という本がある。これはいちおう言語学ないしレトリック論の世界では名著とされている本であるが、結論的に言って、詩をめぐるわたしの言語隠喩論とまっこうから対立する凡庸な議論である。以下でこの本を検討することで、詩の世界でさえはびこっている単純な隠喩否定論の無意味さ、幼稚さを、さらには隠喩にたいする一般

☆2 ジョージ・レイコフ／マーク・ジョンソン『レトリックと人生』大修館書店、一九八六年。なお、この本の原題は *Metaphors We Live By* であって、「訳者あとがき」にもあるように「生活の仕方のもととなる隠喩」ということになるが、「人生」とはいかにも稚拙である。『隠喩で生きる』または『隠喩を生きる』とでもすべきだろう。

的な無理解を逆に照射できるという意味で活用してみようというわけである。ここで手間をかけることはけっして無駄な努力ではないはずだ。

まずレイコフ／ジョンソンの主要な論点を確認していこう。「1　生活のなかのメタファー」の冒頭にはいきなりこう書かれている。

メタファー（隠喩）と言えば、たいていの人にとっては、詩的空想力が生み出すことばの綾のことであり、修辞的な文飾の技巧のことである。つまり、通常用いる言語というよりは特別改まった表現をするさいの言語のことである。それに、メタファーというのは言語だけに特有のものであって、思考や行動の問題であるよりはことばづかいの問題であると普通一般に考えられている。したがって、大部分の人はメタファーなどなくとも、日常生活はなんら痛痒を感ずることなくやっていけるものと考えている。ところが、われわれ筆者に言わせれば、それどころか、言語活動のみならず思考や行動にいたるまで、日常の営みのあらゆるところにメタファーは浸透しているのである。われわれがふだん、ものを考えたり行動したりするさいにもとづいている概念体系の本質は、根本的にメタファーによって成り立っているのである。

（『レトリックと人生』三ページ、ルビは省略）

隠喩の根源性を理解しない一般のひとたちにたいする批判を主張する前段はおおむね首肯し

うるが、後段になって隠喩概念を拡張しようとしすぎるあまり、メタファーにもとづく概念体系によってひとびとの生活は成り立っているという論を押しつけてくるところからしてそもそも怪しくなってくる。しかしこのメタファーにもとづく概念体系という発想がレイコフ／ジョンソンの隠喩論のキモなのである。それではこの概念体系とはどんなものか。

しかしながら、われわれはふだん、概念体系など意識してはいない。日常茶飯の事柄の大部分は、程度の差はあれ、ある一定の手順にしたがって無意識に考え、行動しているだけである。そのある一定の手順とはいったい何であるかと言えば、これが容易には実体がつかめない。言語活動を観察することが、それを明らかにするひとつの方法なのである。コミュニケーションも、思考や行動の場合と同じ概念体系にもとづいて行なわれているのであるから、言語は、この概念体系の実体を知るための重要な情報源であると言えるわけである。（同前四ページ）

ここまでもレイコフ／ジョンソンの問題意識には、それが日常的な思考や行動、コミュニケーションに偏りすぎるきらいはあるが、おおむね同意することができる。ただ、やはり問題になるのはこの〈概念体系〉という観念（思い込み）である。それをレイコフ／ジョンソンは《ある概念がメタファーによって成り立っているとはすなわちどういうことなのか、また、ある概念が日常の活動の仕方に構造を与えているとはいかなる意味なのか》と問いを立てて、それをまずは《ARGUMENT〈議論〉という概念と、その概念に構造を与えているARGUMENT IS WAR〈議論は戦争である〉というメタファー》（同前）を取り上げる。以下に英語の文例がいくつも挙げられているが、ここでの議論とはいろいろな意見交換というよりもそれぞれの議論内容の優劣、議論そのものの勝ち負けを主眼とすることばづかいが対象となっている。《彼はわたしの議論の弱点をことごとく攻撃した。》《彼の批判は正しく的を射ていた。》《私は彼の議論を粉砕した。》《わたしは彼との議論に一度も勝ったことがない。》《そんな戦法じゃ、彼にやられてしまうぞ。》（同前四—五ページ）といったぐあいである。原語では〈attackde every weak point〉〈right on target〉〈demolished〉〈won〉〈shot down〉などである。日本語に翻訳するといくらかぼけてしまうが、英語の文例はそうした戦争用語が議論の対決といったシーンに日常化されて使われることを示している。最初から殺気だった例がもちだされたわけだが、要するに、ここで使われている戦争用語はあくまでも議論という場における隠喩的表現だとレイコフ／ジョンソンは言いたいのである。《メタファーの本質は、ある事柄を他の事柄を通して理解し、経験することである。》（同前六ページ、原文ゴチック）とレイコフ／ジョンソンは言う。さらにこの章の終りでは《最も大切なことは、メタファーというのは、ただたんに言語の、つまりことばづかいの問題ではないということである。それどころか、筆者らは人間の思考過程（thought processes）の大部分がメタファーによって成り立っていると言いたいのである》（同前七ページ、原文はすべてゴチッく〉と、レイコフ／ジョンソンはまとめている。

レイコフ／ジョンソンは「2　メタファーと概念の体系性」では TIME IS MONEY〈時は金なり〉というメタファーによって成り立っている概念を取り上げているが、こちらのほうがわれわれにとってはよりわかりやすい。《われわれは時間が貴重な品物であり、限りある資産であり、お金そのものであるかのごとく行動しているがそうした事実に対応して、頭の中でも時間をそのようなものとして思い描いているのである。このようにして、われわれは時間を、使ったり、浪費したり、配分したり、賢明にあるいは下手に投資したり、節約したり、乱費したりできるものとして理解し、経験しているのである。》（同前一〇ページ）つまり、時間を使用し、浪費し、配分し、投資し、節約し、乱費したりできるものとして考えられるようになっているのは、われわれの文化のなかに〈時は金なり〉というメタファーによる概念の体系があるからであって、人間はほとんど無意識にこうしたメタファーをいともやすやすと使いこなせるというわけである。あとは「方向づけのメタファー」とか「存在のメタファー」とか「擬人化のメタファー」とかいろいろな概念体系が編み出されて、ひとびとの生活をあまねく支配していると言わんばかりである。

レイコフ／ジョンソンはこうした文例をさんざん挙げたあとで、《「メタファーから成る体系的概念」の存在》について触れたあとで、かれらの意見をまとめている。

これらの表現は根本的な意味で「生きている」のである。つまり、われわれの生の営みを成り立たせているメタファーなのである。それらの表現が英語の語彙のなかで常套的な固定した表現になっているという事実がそれらの表現をまさしく「生あるもの」としているのである。

（同前九三ページ）

まさかと目を疑いたくなるが、ここにレイコフ／ジョンソンの隠喩論のひとつの到達点をみることができる。そしてここにこそレイコフ／ジョンソンが考える隠喩がひとびとの生活のなかに埋没した常套的メタファーにすぎず、それ自体がなにか新しい創造性をもつ隠喩ではなく、すでに使い古された、わかりやすく凡庸な隠喩にすぎないことをはっきりと伝えている。《常套的な固定した表現になっているという事実がそれらの表現をまさしく「生あるもの」としている》のではなく、それらは逆にリクール的な意味での〈死んだ隠喩〉そのものなのである。〈時は金なり〉と言われて納得できるのはごく日常的な意味で、たいして効き目のない教訓のようなものとして機能するにすぎない。レイコフ／ジョンソンの価値観は日常生活のなかでちょっとしたわかりやすさ、気の利いたセリフとしてのことばの使用を過大に評価しているだけであって、常套的メタファー（隠喩）が生きているものであるというのはいささか〈生〉のレベルを低く見つもりすぎているからではないか。すくなくとも、わたしが考える「言語隠喩論」の創造性、つまりことばが未知の世界に分け入るところではじめて見出されることばの意味や意義、機能のはたらきといったものとはまったく無縁である。そもそも詩人が〈時は金なり〉などという陳腐きわまりないことばを書けるわけがないではないか。詩の創造的メタファーはつねに新たな切り口と意味の喚起力をめざすからである。

レイコフ／ジョンソンが隠喩を普遍的な価値として取り出してきたことはたしかにひとつの手柄であるにせよ、それがここまで低いレベルでしか意味づけできないのなら、むしろあるべき隠喩論にとっては無用な、むしろ害悪のほうが多い本だというしかなくなる。この本でアリストテレスのレトリック論への言及はわずかしかないが、せいぜい言えることは、アリストテレスの隠喩論が名辞のレベルでの意味の類似性、置き換えにすぎなかったものが、レイコフ／ジョンソンにおいてはもうすこし広い意味で事柄レベルでの意味の置き換えないし類推にすぎない、ということだけである。

レイコフ／ジョンソンの提出している問題の致命的な誤りについてもうすこしだけ触れておこう。かれらの主張のひとつはつぎのように要約されている。

メタファーはなによりも第一に思考と行動の問題であって、ことばの問題であるのはたんに派生的な意味においてそうであるにすぎない。（同前二二三ページ）

ここにも大きな逆転がある。ことばが、そしてことばの隠喩性が日常の思考や行動の底打ちをしていることは紛れもない真相だとして、そのことがことばの問題を派生的なものに追い落としてしまうわけではない。どんな日常のなかでもことばの使い古された常套的メタファーではない、オリジナルな、隠喩的な言い回しによる斬新な切り口の発見とか歓びといった事態はいつでも起こりうるし、また起こっている。きまじめな家庭ではあまりないことかもしれないが、発見と機知にあふれた楽しいことばが飛び交う家庭だっていくらもあるのだ。レイコフ／ジョンソンは彼らの隠喩観をみずからの見立てる日常性における経験的理解という狭い世界のなかに閉じこめようとする。そこから客観主義と主観主義という両極の神話性を批判して、一方は人間の経験を離れた絶対的真実を信じるものであり、他方は個人的なイメージや世界をつくるものであって、いずれも十分ではなく、それにたいしてレイコフ／ジョンソンが措定するのは第三の可能性としての経験主義であるというわけだ。すべて人間の理解という窓を通して世界をなによりもよく把握できるとするものである。

客観主義とは科学、学問における合理主義であって、近現代の西欧の哲学においてもカントからフレーゲ、フッサール、そして言語学においてはチョムスキーにまで受け継がれているとされる。レイコフ／ジョンソンは隠喩理解にかんしてこの伝統に異を唱える。

メタファーに関する筆者たちの見解はこうした客観主義の伝統とは対立する。筆者たちは、メタファーは理解という人間の行為にとって欠くべからざるものであり、われわれの生活のなかに新たな意味と新たな現実を創り出すためのメカニズムであるとみなしている。

（同前二七七ページ）

レイコフ／ジョンソンが創り出すという新たな意味と新たな現実とは何だろうか。すでに見たように、それはたんにひとつの事態にたいしてまったく新たな視角、思想、イメージといったものではなくて、たんなる類似性の応用程度のものにすぎないのではないか。そこには理解という行為のなかでしか見えてこない（というつもりの）意味や現実のことしかありえない。客観主義者は理解というフィルターを抜きにして現実を見ようとするからだ、というレイコフ／ジョンソンの思い込みがある。だから客観主義者に加担するふりをしてレイコフ／ジョンソンはこんな妄言を吐くのである。

メタファーやその他の種類の詩的な、空想に富んだ、修辞的な、あるいは比喩的な言い回しは、客観的にものを語ろうとする場合にはかならず避けることができるし、また、避けなければならない。なぜなら、それらの意味は明解で正確ではなく、どんな形であれ明白な形で現実とは一致していないからである。

（同前二六六ページ）

これはレイコフ／ジョンソンによる主観主義者への批判、というより勝手な思い込みによる非難である。その代表としておそらくは詩人が念頭にあることは明白である。レイコフ／ジョンソンの理解によれば、詩人のことば（＝隠喩）は《正確ではなく、どんな形であれ明白な形で現実とは一致していない》からであるが、そんなことはあたりまえである。いや、ある意味では詩人のことばはきわめて正確であって、日常現実にありふれた様相と一致する必要にたいしてではなく、ひとつの仮想現実としての詩的世界の内実にたいしては明確な形をとっていると言っていい。それは表層的な現実の彼方にありうるかもしれないもうひとつの現実を正確に指し示しているのである。もっと言えば、そうした世界こそが詩人の創造したもうひとつの現実なのだから、正確というよりも詩人の現実措定的な行為がそうした世界なのである。そういう世界の可能性にたいしてレイコフ／ジョンソンが一顧だにしないこと、むしろそうした世界への理解力も想像力も欠如していることの端的な現われがこの経験主義の主張であると言うしかない。これはさきにみたJ・L・オースティン流の日常言語学派に通ずる言語的想像力の貧困を共有する。経験主義という第三の可能性はこうして、客観主義の冷静な合理主義にも、主観主義の想像力の豊かさにも対応できない、了見の狭いものの見方であることが明瞭になるのである。

ロマン・ヤコブソンの隠喩／換喩二元論への応答

さて、こうしてみてくると、隠喩という概念がひとによってかなりいい加減に使われてきていることがあらためてわかってくる。すでに記述したように、アリストテレスは「比喩〔隠喩〕とは、（あることを言いあらわすさい）本来別のことをあらわす語を転用することをいう」というふうに定義をしている。（『詩学』、『アリストテレース「詩学」／ホラーティウス「詩論」』七九ページ、本書第五章「詩を書くという主体的選択」参照）これが名辞のレベルでの転用であることは先に指摘したが、レイコフ／ジョンソンは事柄あるいは用例のレベルで隠喩を経験主義的に理解できることを想定している。多くの隠喩論もおおむねそうした理解の範囲内に収まってしまうのだから、通常の〈隠喩〉の意味はそうした〈転用〉〈転義〉〈置換〉のレベルで考えられているのはたしかである。わたしの言語隠喩論が言語の本質的隠喩性という概念の拡張を想定しているのは、隠喩のそうした一般的理解からすれば本来的ではないと言われることだろう。しかし言語の日常的使用というレベルでそこに常套的メタファーの存在をみようとするレイコフ／ジョンソン的了解の平板さに満足することなく、既成のことばでもつねに新しい意味や働きの可能性を追求しようとする詩の言語の創造性とは言語そのものがもつ本質的欲求でもあるはずなのである。詩人はそのことを意識的か無意識的かは問わず、書くことにおいてその欲求を実現してしまうのである。ヴィーコが言うように、詩人はことば（隠喩）を発見し、哲学者がそれを理解し説明するのである。

そうは言っても、隠喩という古来からの概念を拡張的に利用しようとするなら、隠喩についての検討をさらにすすめておかなければならない。そういう意味で、これまではあえて触れてこなかったロマン・ヤコブソンのもはや古典的とも思われる隠喩／換喩二元論についてもこのあたりできちんと確認しておかなければならないだろう。周知のように、ヤコブソンは《詩には隠喩、散文には換喩（中略）その結果、詩の譬喩の研究は主として隠喩に向けられる》（「言語の二つの面と失語症の二つのタイプ」、『一般言語学』四四ページ、*Essais de linguistique générale*, p. 67）と述べているから、詩の原理論のほうからもこれに応答しないわけにはいかないからである。

ヤコブソンは「言語の二つの面と失語症の二つのタイプ」という、ヤコブソンの名前が人文科学の世界でも広く知られるようになった論文で、失語症の症例が言語の構造と深く結びついていることを構造言語学の知見にもとづいて明らかにした。

失語症がその名の示唆するように言語の障害であるのならば、失語症の症例群の記述や分類はいずれも、そのような異常のさまざまな種別において言語のどの面がそこなわれるのかという問題から出発しなければならない。（同前二一ページ、ibid. p. 43）

と、この論文は書きはじめられる。そして言語の二つの面として選択（selection）と結合（combination）とがあることが指摘される。ひとつの文が成立するためには語の選択があり、それらが文として結合される必要があるというわけである。しかもこの文がメッセージとして成立するためには選択された語もあらかじめ発信者と受信者に共有される意味をもつことが必要であり、そうであればこの文はコードと呼ばれることができる。つまりひとのコミュニケーションにおいて文とはコード化されたメッセージになるのである。これは言語情報理論の範疇だが、この選択と結合という縦軸と横軸の組合せのなかで失語症の症例が現われる。《言語障害が言語単位の結合と選択とに対する個人の能力をいろいろな程度に冒すことがあることは明らかであって、事実、これら二つの操作のうちのどちらが主として損傷されるかという問題は、さまざまな形の失語症を記述、分析、分類するうえに広大な意味をもつものとなる》(同前二七ページ、ibid. p. 49)とヤコブソンは問題を立てたうえで、相似性の異常による語の選択(代置)の困難と、隣接性の異常による結合あるいはコンテクスト作成[☆3]の困難とを失語症のふたつの大きなパターンとして取り出す。前者は《選択能力が強度に損なわれて、結合の能力が少なくとも部分的には保存されている》場合で、《隣接性が患者の言語行動全体を規定する》(同前三四ページ、ibid. p. 56)一方で、後者は《命題化する能力、一般的に言えば、より単純な言語的存在体を結合してより複雑な単位を作る能力の損傷》ということになり、語を認識する能力は残るが文章を組み立てることができない。

ヤコブソンはこうした失語症の症例研究が言語学研究に大きな寄与をしたことを認めたうえで、隠喩/換喩二元論を明確に打ち出すのである。

失語症の種類はじつに多くさまざまであるが、すべて以上に記述した両極の型のあいだを

☆3 邦訳では「結構」とされているが、原語は contexture でコンテクスト(文脈)作成としたほうがわかりやすいので変更した。

揺れ動く。失語症障害のすべての形式が、選択と代置の能力か、あるいは結合とコンテクスト作成の能力かの、多少ともひどい損傷に存する。前者はメタ言語的操作の退化をきたし、後者は言語単位の階層を維持する能力を損なう。相似性の関係が前者の、隣接性の関係が後者の型の失語症で抑止される。隠喩は相似性の異常と、換喩は隣接性の異常と、相容れない。

（同前三九ページ、ibid. p. 61）

すなわち、隠喩は相似性と結びつき、換喩は隣接性と結びつくというわけである。このことをこの引用にすぐつづけてヤコブソンは書いている。

言述☆4の進展は二つの異なった意味的な線に沿って行なわれる。ひとつの話題から他の話題へと相似性によってか隣接性によってか、いずれかによって進行する。隠喩的方法が第一の場合に、換喩的方法が第二の場合に、もっとも適当な呼び名であろう。両者はそれぞれ隠喩と換喩において最も凝縮された表現を見出すからである。

（同前、ibid.）

重要な箇所なのでしつこく引用したが、ヤコブソンの分析からは《詩の譬喩の研究は主として隠喩に向けられる》理由が明らかにされるのであって、その単純な二分法が問題にされることはあっても、詩においては言語はいつでも隠喩的であらざるをえないというわたしの言語隠

☆4　ここでも邦訳の「談話」はdiscoursなので「言述」に変更した。

喩論の立場からすれば当然すぎるほど当然の結論なのである。詩の言語はつねにそれ自体であり絶対的であって、詩の外部からの意味の言い換えを許さない。すでに言ったように、詩の内部にあっては隠喩的構造のなかにあって部分的に換喩的方法が用いられることは、たとえば入沢康夫や岩成達也的な擬物語構造をもつ詩的骨格のなかではありうることであるが、それも結局は擬物語が現実世界とは別な隠喩的世界であるという構造上の枠の中での擬制にすぎない。擬物語のなかでは詩のことばはある種の世界構築を行なおうとするからこうした擬制的な換喩が擬物語（という隠喩）を補強するうえで有効性をもつだけのことである。

ヤコブソンは一九五六年に発表されたこの「言語の二つの面と失語症の二つのタイプ」の成功のあと、この理論を応用して「言語学と詩学」という学会講演を一九六〇年に行なう。これは言語学者だけでなく人類学者、心理学者、文学研究者にむけた一般的なステートメントとして発表されたものだが、そこでも目の覚めるような発言をしている。

> 隣接性に相似性が重ねられたものとしての詩においては、換喩はすべていくらか隠喩的であり、隠喩はすべていくらか換喩的色彩を帯びている。（同前二一一ページ、ibid., p. 238）

たしかにこうした隠喩と換喩の重なりあいという側面があることは、わたしの言語隠喩論でも否定はしない。それどころか、むしろ詩のテクスト分析のうえでは、こうした柔軟な解釈の可能性を残しておいたほうがより有効であるとも言ってよい。ヤコブソンは《詩的機能の経験的な言語学的基準とは何か》と問うたうえで《詩的機能は等価の原理を選択の軸から結合の軸へ投影する》(同前一九四ページ、ibid. p. 220)というふうに述べている。隠喩という語の選択をコンテクスト作成の軸の上に投影したものが詩であるという見解に立つかぎり、こういった理解になるだろう。だから隠喩と換喩は相互に混ざりあい、いくらか相互に似てくるという側面が目につくのである。言語学の立場から詩のテクストを見ると、こうしたニュアンスは避けがたいから、詩人でないヤコブソンからは詩がそのようにしか見えないことはいたしかたないとしておこう。ヤコブソンの十分に説得力のある総論的把握からわたしの言語隠喩論が別れるのはここにおいてである。

そしてまた最初の問いにもどってくる。詩人にとってはことばの選択が先か、詩的構文の発見が先かはあらかじめ決められるものではない。すでに吉岡実の詩でもみたように、ことばは最初から一気に下りてくる。どこから? 詩のことばは言語が詩の形をとって、なにものにも先験的に決定されていない言語の無意識から到来するのである。そして真正の詩人であることとは、この言語の無意識に誰にもましてみずからを開いておくことのできる人間のことを指すのである。

世界という次元

ことばを外界にむけて吐き出すこと、つまりなにかを話すこと、なにかを書くこととは、いかなる場合においてもあらかじめ決定されていることはない。たしかに、ある状況があって他者から話すことあるいは書くことを促されてことばを表出する必要があるという場合が考えられないわけではない。そこまでいかなくても、日常世界にあっては、人間と人間がなんらかの話題において意見交換、意思伝達をおこなうことは普通のことである。しかしいかなる局面にあっても、どのようなことばで語るのかは、厳密に言って、あらかじめ細部にわたって決定されているわけではない。あるとすれば、大まかな眼目、話題、言うべきことが見えているだけである。それらは口に出されることによってはじめてその形式のままに顕在化した考え（思想）として、他者においてはもちろんみずからにおいても認識可能なものとなる。書くことはそのことをより鮮明に定着させる。

メルロ＝ポンティは『知覚の現象学』のなかのもっとも示唆的な第一部「VI　表現としての

身体と言葉」のなかで書いている。

> まずなによりも私が意思伝達をもつのは、〈表象〉とか思惟とかにたいしてではなく、語っているひとりの主体にたいしてであり、或るひとつの存在〔の〕仕方にたいしてであり、彼のめざす〈世界〉にたいしてである。他者の言葉を発動させた彼の意味的指向は、はっきりと顕在化した思惟ではなくて、充足されることを求めている或るひとつの欠如態であったが、それとまったくおなじように、この指向を捉える私の作用のほうも、私の思惟の操作ではなくて、私自身の実存の同時的転調であり、私の存在の変革なのだ。われわれは、言葉が制度化している（être institué）世界のなかに生きている。
>
> （『知覚の現象学1』三〇一―三〇二ページ、〔 〕内は引用者の補足）

ここでは対話的状況における意思伝達、意思交換が想定されているが、対話者相互の〈意味的指向〉はそれぞれ完結しているのではなく、むしろ〈充足されることを求めている或るひとつの欠如態〉として相手方の発話を動機づける役割を果たしている。対話はこの欠如を相互に充足するべく進行することになる。その対話がどのように発展するかは別にして、こうした対話が成立する世界、ことばが制度化している世界とはふつうわれわれが想定している日常世界である。何を話すかはそれぞれの自由な指向にもとづいているとはいえ、後年のオースティンやサールらが打ち出したパフォーマティヴな言語行為論を先取りしたかたちでメルロ＝ポンティはひとまずことばが日常世界のなかで意思交換される仕組み（＝〈ことばが制度化している世界〉）を確認する。

かれはこれにつづけて言う。

日常生活のなかで働いているような、構成された言葉というものは、表現の決定的な一歩がすでに完了してしまっていることを、あきらかに想定しているのだ。したがって、その根源にまで遡らないかぎり、言葉のざわめきの下にもういちど始元の沈黙を見いだしてこないかぎり、この沈黙を破る所作を記述しないかぎり、われわれの人間観は、いつまでも皮相なものにとどまるであろう。言葉とはひとつの所作であり、その意味するところとはひとつの世界なのである。（同前三〇二ページ）

ことばは状況ないし文脈が決定する枠の中であらかじめ一定の方向づけを与えられている。そこでどういうことばを、どういう文脈に組み立てて話すかは決められていないとはいえ、そうした方向づけから大きく逸脱していくことはルール的に許されない。〈構成された言葉〉とは話し手それぞれの主観を超えてコミュニケーションという規範が要請するものであって、ひとつの完了をめざしているのである。われわれはこうした日常的消費のもとにあることばを超えて、ことばの〈根源〉にさかのぼり、〈始元の沈黙〉を見いだしてそれを破る所作を記述できるところまでいかなければならないし、もしそれが可能となるなら、ことばこそその所作となり、それ自体が〈ひとつの世界〉となる、とメルロ＝ポンティは言うのである。そうなれば、日常世界のコミュニケーション的要請がとりたててはたらいていない状況のなかでは、みずから話す（書く）ことはひとつの選択であるばかりでなく、そこで何を話す（書く）かは各人の自主的な選択であり、どういうことばをそこで用いるかは各人の内的な必然性によって自由に決定されることになる。

思惟が表現を求め得るのは、ただ言葉がそれ自体でひとつの了解可能なテクストとなっており、言葉が自分にふさわしい意味作用の力を所有しているからにほかならない。なんとしても語や言葉は、対象または思惟を指示するひとつの仕方であることをやめて、それ自体、この思惟の感性的世界への現前とならねばならない。思惟の着物ではなくて、思惟の徴表または思惟の身体とならねばならない。（同前二九九ページ）

この〈思惟の感性的世界への現前〉〈思惟の身体〉こそ、いかなる要請も受け付けずみずからの成立根拠を世界と同致させることばの実存であり、それを目的意識的に実現する詩の言語であり、その言語の世界開示性の隠喩的本質にほかならない。詩のことばは他のなにものかを説明するものでもなければ、他のことばの言い換えでもない、真に独立したことばであるからだ。このように考えるならば、さきに取り出して論じた市川浩＝丸山圭三郎による〈身分け＝言分け〉概念の再定義を導き出すことも可能となるだろう。

メルロ＝ポンティは『知覚の現象学』の第二部で《知覚がまず与えられるのは、たとえば因果性の範疇が適用できるような世界のなかでのひとつの出来事としてではなく、それぞれの瞬間における世界の再＝創造ないし再＝構成としてである》（『知覚の現象学2』九ページ）と述べているが、このことは知覚のみならず詩の言語にもあてはまるだろう。そしてその場合、知覚とはちがって詩の言語の世界は再＝創造ないし再＝構成されるのではなく、まさにあらたに創造ないし構成されるのである。

ここまでくれば、詩を書くこととはひとつの未知の世界をつくりだすことだと断言してしまってもいいだろう。詩人のなかには、なにをそんな大げさな、とでもひるむ人もいるかもしれない。茶化すひともいるだろう。しかし、あなたがたがつねになにか新しいこと、まだ誰も書いたことのないこと、すくなくとも自分にとって切実であることを書こうと真摯に思っているかぎり、じつはそこに現出させようとするものはひとつの紛れもない未知の世界なのだということを胸を張って言っていいはずだ。このことばにたいして自分の書こうとしている主題は身近な身辺的な日常世界にすぎないと遠慮することはない。どんなにミニマムな世界であろうと、そのひとにとってもっとも切実かつ緊急の問題をみずからのことばの力で切り拓いてみせることこそ、ほんとうの詩の問題ではなかろうか。そこに見いだされた世界こそ、他者の共感を誘い、驚きを呼び起こしてみせる。詩人がわたしの言う〈身分け＝言分け〉構造のなかにみずからのことばを投入するとき、そこには何かほかでは得られない開けがある。一見ありふれた風景のなかにことばはひとつの未知の世界の開けを生み出すのである。逆に言えば、ことばを通じて既成の世界のなかにひとつの世界の開けを見いだす者こそを詩人と呼ぶべきなのである。詩人が語るのではなく、ことばが語るのである。

そういう意味では、詩にかぎらず創造的な思想においてことばの連鎖である言説、言表、言述とはそれを表出した個人の存在を超えている。もし或る言説（言表）がそれ自体の力で既成の世界のどこかにひとつの開けを見出すことができるならば、それは誰が書いたということに関係なく、未知の世界がそこに発見されたということである。そこにはことばが語るという厳然たる事実があるだけなのだ。

ミシェル・フーコーはこのことの前提を問いかけている。

誰が語るのか？　語るすべての諸個人の総体のなかで、誰が、この種の言語を有する理由があるのか？　誰がその有資格者なのか？　誰がそれから自己の独自性、威信をうけとりうるのか、また、逆に、何から、彼は、真理の保証ではないまでも、真理性の主張をうけとりうるのか？

（*L'archéologie du savoir*, p. 68.『知の考古学』改訳新版七八ページ）

このみずから立てた問いにたいしてフーコーはつぎのように応えている。

> 言表の主体を定式的な表現の作者と同一なものとして考えるべきでない。実体的にも機能的にも、そうである。事実、言表の主体は、ひとつの文の書かれたあるいは口で述べられた分節化というこの現象の原因でも、起源でも、出発点でもない。それはまた、沈黙のうちにあって語を侵し、語に秩序を与えその直観の可視的な身体とする有意味的な狙いではない。それは、さまざまな言表が順番に言説の表面において明示するようになる一連の活動の、恒常的で不動、かつ自己中心的な、中心ではない。それは、確定された、空《から》の——相異なった諸個人によって実際には充たされうる——ひとつの場所である。だが、この場所は、決定的に規定され、ひとつのテクスト、一冊の書物、ひとつの作品の全体を通じて、そのようなものとして規定される代わりに、変化する。——あるいはむしろ、それは、多くの文を通じて自己同一的なものでありつづけうるためにも、それぞれの文とともに変容しうるためにも、十分可変的なものである。それは、言表としてすべての定式的表現を特徴づけるひとつの次元である。
>
> (ibid. pp. 125-126. 同前一四四—一四五ページ)

ここではおそろしいことが言われている。ことばが語るだけではなく、〈ひとつの場所〉が語るのであり、さらには〈ひとつの次元〉が語るのである。書くひとは語ることにおいて〈ひとつの場所〉になり、〈ひとつの次元〉と化す。このことばを語ることのもっとも深い審級に立っているのが詩人であるのはもはや言うまでもないだろう。ランボーの〈On me pense〉(Œuvres, p. 342. ジョルジュ・イザンバールへの手紙〔一八七一年五月十三日〕)とはその端的な表現である。非人称のヒトである〈On〉がわたしを(me)考える、あるいはわたしにおいて考えるのであって、考えるわたし、あのデカルト的審級であるコギトは失脚している。そこには底知れぬ断絶があって、わたしに憑依した非人称のヒトが語る世界とは、個人的存在としての詩人からは飛躍している。このことばはたしかにランボーが書いた一節にはちがいないが、それはすでにこの底知れぬ断絶を飛び越えたところに仄見える詩人の残像が書き残した〈ひとつの次元〉の証明書にすぎない。あるいはマラルメ。すでに引用したことのある箇所だが、確認のためにもういちど引く。

純粋な著作のなかでは語り手としての詩人は消え失せて、語に主導権を渡さなければならない。……語と語はたがいの反映によって輝き出す。それが従来の抒情的息吹のなかに感じられた個人の息づかいや、文章をひきずる作者の熱意などにとってかわるのである。☆1
(Œuvres complètes, Bibliothèque de la Pléiade, p. 366.「詩の危機」、『マラルメ/ヴェルレエヌ/ランボオ』五二ページ)

☆1 この箇所は拙著『単独者鮎川信夫』一〇二頁以下で引用、論評している。

ここで先駆的にマラルメが表明している〈語り手としての詩人〉を超えたテクストの作成者たる者こそ、言説、言表の開く断絶のかなたに開かれたフーコーの言う〈ひとつの場所〉〈ひとつの次元〉なのである。

詩のことばという次元

メルロ＝ポンティは「眼と精神」のなかでセザンヌにかんして似たようなことを言っている。

セザンヌは存在の芸術家にふさわしいすばらしい言葉で、色は「われわれの脳髄と世界とが接合する場所」であると語ったが、(中略)色のために形《フォルム》の劇をくつがえさなくてはならないのだ。それゆえ、問題なのは「自然の色彩の似姿」としてのあれこれの色彩ではない、――色という次元、つまりおのれ自身からおのれ自身にたいしていろいろな同一性や差異性、或る感触、物体らしさ、そしてついに何か或る物……を創造する次元が問題なのである。

(『眼と精神』二八七ページ)

マラルメにおける語、そしてセザンヌにおける色、これらこそ既成のジャンルの意識をくつがえす新しい次元を獲得するための媒体である。セザンヌの色への意識がこれまでの絵画というフレームを超越し新しいフォルムを創出することができたように、マラルメのことばを掘り下げるという意識は従来の詩の概念を打ち破る新しい次元を導く。

ことばを書くということ、それも〈ルポルタージュ（報道）〉（Mallarmé, op. cit., p. 368.『マラルメ／ヴェルレエヌ／ランボオ』五三ページ）のことばとは別の、真の文学のことばを書くということは、ことばの非人称の次元に参画することである。〈ルポルタージュ〉のことばとは、マラルメによれば、《物語ったり、教えたり、さらに描写すること》で《それなりに役に立つ》ものであり、《言語のこの初歩的な使用によって、世界のあらゆる事件は「報道」されている。文学以外の、現代のすべての文章のジャンルは、この「報道」を目的としている》（ibid., 同前）というものである。日常言語やマスコミの言語はもちろん、学術言語もふくめて広い意味での〈伝達〉のためのことばであり、小説や批評、哲学の言説でさえもそうした「報道」的要素をふくむ記述であることはまぬがれない。詩の言語のみが純粋なかたちで〈ひとつの場所〉〈ひとつの次元〉を固守しているのである。詩とはなにごとかについての言説であることをあらかじめ封殺し、ことばだけの力によって自立することをめざした唯一の次元だからである。だからこそ、詩のことばはなにものかの言い換えでも指示でもないのであって、そのことばはことばそのものとして自立するしかない。リクールが《言語はすぐれて志向的であり、言語は言語以外のものを思念する》（『生きた隠喩』一六五ページ）と言うのは、ことばの現象学的本性であるとともに、その意味がもっとも適合するのが詩の言語であることを示唆している。これは言語が既知の世界ではなく未知の世界こそをめざす隠喩であるというふうに解されるべきであり、そのことを端的に詩の言語が示しているということである。

そういうふうに詩の言語を規定していくと、ことばがもつ本質的な隠喩性を体現しているのが詩のことば以外にないことはますます明瞭になるだろう。しかしそのぶん、詩を書くことの困難が増大することも避けられない。詩がそのつど未知の世界へむけての出発であるということは、詩がそうした世界のたとえ一端でも未知のものとして見出すことができないかぎり、詩のことばは起動しないということを意味する。既知の世界をなぞるだけのもの、ましてや政治イデオロギー的なクリシェを掲げるだけのものは、いくら詩のかたちをとっていても、それは詩ではない。そうした詩（のようなもの）はたんに適当に改行されただけであり、一行のあいだになんの飛躍もないから、散文のようにつづけて読んでしまっても意味は平板につながってしまうだけである。散文を適当に改行しただけの詩だとよく言われるのはこうした種類の「作品」にすぎない。これをもうすこしひねって適当な抑揚やリフレインを入れて、思いつきをよだれのように垂れ流すふうな「作品」にも事欠かない。こうしたひねりをくわえただけの詩のほうがいくらかましな詩に見えることもあって、世の中に蔓延し手軽な評価を得ているというのが現状でもある。だからわたしの原理論的なアプローチがいたずらに「形而上学的」に見えるというのも、現代詩人の不能と知的頽廃を意味するしかない。

すくなくともこうした詩の原理論的考察からすれば、詩を書くことがそのつど未知の世界へむけての出発であるとすることは、詩を書くことがそのつどの方法の発見でもあることを意味する。ひとつの方法がひとつの詩と結びつくのである。したがって一篇の詩を書くたびに、詩人は原点に立ち戻らなければならない。シジフォスの苦行のようなものだと言うしかないのが詩を書くことの本来の姿なのであろう。だからここでは詩人が書くというよりは、ランボーのひそみにならって非人称のヒトがわたしのなかで考えるのだとしたほうが真相に近い。詩人とはつねに詩人なのではなく、詩を書くそのつど詩人になるだけである。つまりことばが新しい詩の切り口を見つけたときに詩人を呼びつけるだけなのである。厳密に言えば、かつてのように詩人という恒常的な存在は、いまは存在しえない。詩人と呼ばれるひとが詩のかたちでなにかを書けば、それが無条件に詩になるというのはいまや幻想である。したがって詩人がいるのではなくて、詩のことばという〈ひとつの次元〉が存在するだけなのである。

画家や語る主体にとって、絵画や言葉は、すでにつくられてある思想を展示する行為ではなく、その思想そのものをわがものとする行為なのだ。だからこそわれわれは、すでに獲得された思想を表現する二次的な言葉と、思想をわれわれ自身にたいしても他人にたいしてもはじめて存在するようにさせる原初的な言葉とを、区別せざるを得なかったのである。

（『知覚の現象学2』二七三―二七四ページ）

ここでメルロ゠ポンティの言う《すでに獲得された思想を表現する二次的な言葉》と《思想

をわれわれ自身にたいしても他人にたいしてもはじめて存在するようにさせる原初的な言葉》との対比は、マラルメの言う〈ルポルタージュ〉の言語と文学の言語に匹敵する。詩のことばとはまさしく後者であり、その原初的なことばは書かれることによって初めて詩人自身にとっても他者にとってもなんらかの思想（世界）が目に見えるようになるオリジナルなことばとなる。すぐれた詩とはそのことばの配列、そのリズムとテンポ、行の切れ具合などそのままのかたちでひとつの十全たる世界であり、どの部分もとりかえのきかない、ゆるぎない一体性となるのである。《思惟の作用はいったん表現されることによってはじめてそれ以後生きのびてゆく力をもつようになるというところにこそ、言語表象の面目がある》（同前二七八ページ）とメルロ＝ポンティが言うのは、こうした詩のことばのひとつひとつの形式的達成が詩の力であることをおしえている。《言語はわれわれを超えたものでありながら、しかもなおわれわれが語るのだ》（同前二七七ページ）とは、そこに詩人という存在がそのつど初めて有意味なものとして現われてくることを示している。

たしかに、詩は詩人たろうとする者が書くものであり、そこにその詩人たろうとする者の苦悩と努力とがなければ始まらない。詩がかならずしもその志向性のレベルに達するわけではなく、苦悩と努力がむなしい結果しかもたらさないことはむしろあたりまえである。優れた詩がめったに書かれるものでないのは、これまでの詩史が示しているとおりであって、毎年のように優れた詩集が出ているかのような言説が詩的ジャーナリズムとそれに迎合する詩人＝批評家によってなされているのは笑止のかぎりである。褒め殺しのような言説ではなく、より優れた詩へ向かうにはどういう批評を向けるべきかを示すほうが生産的であり、大事なことなのではなかろうか。

それならばどういう詩を書けばいいのか。その意味では、シラーが創作の才の乏しいのを嘆く友人ケルナーという詩人に宛てた手紙がおもしろい。これはフロイトの『夢解釈』☆2のなかで引用されているものだが、紹介するに値する。

君の嘆きの原因はどうやら、君の悟性が君の想像力に対して加えている強制にあるようだ。僕はここでひとつの考えを述べよう、それをひとつの比喩で説明してみよう。悟性が、流れ込んでくる諸観念をいわば入口のところですでにあまり厳格に吟味することは、いいことではないし、魂の創造行為にとって不利益なことであるらしいのだ。それだけ切り離して考えれば、ひどくつまらぬ考えもあるし、ひどく大胆な考えもある。しかし、おそらくそういうひとつひとつの考えは、その考えにつづいて起こってくる別の考えによって重要なものになり、おそらくは全然同じようにとるに足らないように見える別の考えとどうにか結びつくことによって非常に有益な考えになってくるのだ。——悟性は、そういうつまらぬ考えが、別のものと結合した有様を眺めうるにいたるまで、その考えをしっかりと握っているのでなければ、そういうことといっさいを悟性は判断できないはずである。

☆2　邦訳は『夢判断』となっているが、最近は『夢解釈』のほうが妥当とされる。

これに反して創造的な頭脳の人間においては、悟性は自分の番兵を入口のところに立たせてはおかない。だからいろいろな考えがわれがちに乱入してくる。そうさせておいてから初めて、悟性はそういう想念の大群を眺め渡して検査するのだ。……そういう想念こそがすべての独創的な芸術家に見出されるものであり、そういう想念が永く続くか短く終わるかが、思考する芸術家を夢見る人間から区別する当のものなのだ。

（『フロイト著作集2　夢判断』八九ページ）

無意識の精神分析家フロイトらしく、詩人の想念を湧くがままにいったん受け入れてから悟性による吟味をすすめるシラーの、大詩人ならではの奔放な想像力への方法的受容の可能性を評価しているのはさすがである。これはなにもロマン派詩人らしい手法としてではなく、現代においても詩人がことばの開拓者であろうとするかぎり、必然的な方法のひとつであろう。詩人はいったんことばのプールとならなければならないのである。ことばにたいしてあらかじめ抑制ないし制御（〈番兵を入口のところに立たせ〉る）しないようにすること、いったんはことばの洪水に身を任せることこそ、詩人がことばの新たな切り口を見つけるための必要条件である。頭で考え出したものなど、すでに〈悟性の番兵〉の認可したものである以上、その新しさなどたかが知れている。ただしこういうことを言うと、それでは自分のこれまでの経験などはあまり価値がなく、ことばが動き出すがままにしておくだけでいいのか、といった短絡的な反応をしてくるひとがいる。どうしてこういうふうに「あれかこれか」という発想が出てくるのだろう。ことばの無意識といってもひとそれぞれの経験がどこかで裏打ちされているのであって、書き手個人と無関係ではない。無意識のことばとは忘却されていたり抑圧されていたりして書き手に認識できていないものを指しているので、書き手の十全なる意識に対象化されていないだけである。よく知られているように、フロイトは無意識と意識のあいだに〈前意識〉というものを想定し、そこには抑圧と検閲の働きがあることにくわえて、《無意識的表象と前意識的表象（思考）との本質的な相違》として、無意識的表象では認識されないままの材料が前意識的表象においては、《言語表象の結合がくわわっている》（「自我とエス」、『フロイト著作集6』二七〇ページ）ことを論文「無意識について」（一九一五年）において明らかにしたことを述べている。無意識的領域と漠然と言われているものにフロイトのように〈前意識〉という領域を設定すれば、一般に無意識のことばというものが、どれだけ言語的に準備された経験を内包しているものであるかが了解できるだろう。したがってここではむしろそうした無意識＝前意識の経験をできるだけ活用するためにシラー＝フロイト的な無意識の解放という戦略がたてられているのである。それからまた、世上によく言われるように、批評を書かない（書けない）詩人が批評も書く詩人の詩を批判するパターンが、すべて悟性のフィルターを通して書いているのだろうという邪推に支配されていることによって、みずからへの免罪符を得ようとしていることがこれでわかる。詩人がみずからのことばの由来や射程を知らなくていい理由などどこにもない。

批評の文章を書くか書かないかは別の問題で、詩人が自己批評性をもたなくていいと考えるとしたら、その詩にはなんの取り柄もないはずである。詩人たる者がその名に値するとすれば、結局は言語にたいする意識をどうもっているのかということに帰着するだろう。詩人の対象は言語であって、言語しかない。ことばが詩的な機能をもつということは、そのことばがなにものにも依拠せず、なにものにも制御されないがゆえに自由であるばかりか、それが未知の新しい世界を構成しうるかどうかへの徹底した意識化が必要となるのは言うまでもない。

谷川俊太郎は大岡信との対話のなかでこんな発言をしている。

自分の意識が言葉でできあがっているというふうに思っている人は、意外に少ないんだ。かなり多くの人が、言葉で自分が変っていくというふうには思っていない。言葉なんてただの道具で、自分の考えを他人に伝えられればそれでいいんだ、みたいなところがある。もしそういうふうに割り切れているとしたら、詩というものはたぶん理解できないだろう。詩がなぜできるのかってことも、まったく無意味に思えちゃうのじゃないかな。

（『詩の誕生』二一二頁）

これは一般読者にたいする感想かもしれないが、現代日本の詩人の多くにも該当するような気がする。谷川はべつのところで《自分のなかから言葉を生み出すのが詩の才能であると昔は思っていたけれども、このごろぜんぜんそうは思えない。詩の才能てのは、有限の語彙から何を選択するかという才能なんだ。自分が生む必要はない。選んでいけばいいんだ》（同前九八―九九頁）とも発言している。〈谷川らしいことばのメディエーターとしての立場を自覚した発言になっている。さきのシラーのことばとも通ずるだろう。またそれを受けて大岡信もつぎのように言う。

人間のなかに言葉があるけれども、その人間は言葉のなかにいるんだ。人は言葉の海を泳いでいて、その泳ぎ方がそれぞれ違っている。泳ぎ方のなかには、生まれたときからのすべての体験的な知識とか無意識な記憶とかが集積されている。そういうものを離れて、ある瞬間にある場所にぴったりした言葉が浮かぶということはないのじゃないか。（同前九九頁）

ふたりの日本語の達人の率直な物言いとしてすなおに納得できるだろう。詩人が〈悟性の番兵〉を解除したところに発動する想念すなわちことばの大群とは、詩人がこれまでの生のなかで蓄積してきたことばでしかないが、それでも詩の新しい切り口としては十分すぎるほどの質量をもつはずである。

言語意識という次元

さて、そうなると、またしても詩のことばとは何か、詩人にとってことばとは何か、という問題に戻ってくる。この言語隠喩論がいつまでたってもこの問題の周辺を行きつ戻りつしているのは、この問題がつねに人間と言語の関係、詩と言語の関係を根底にかかえている以上、詩を書こうとする者にとって離れることができないからである。詩や哲学、さらには批評にかかわる者にとって、ことばの問題を考え、論じることは避けられない。考えること、論じることはことばに依拠するしかないからであるばかりでなく、ことばについて考える以外のことではないからである。ことばはたしかに何かを志向する。《言語はすぐれて志向的であり、言語は言語以外のものを思念する》という先に引用したリクールのことばにあるように、ことばはその先にことば以外の何かを思念するのであるが、それはことばとは別個に確かに存在する何かではない。それらはことばを通じてしかなんらかの意味をもつことはできないのである。しかしことばの先に何かを思念するという志向性とはことばという問題を意識することにほかならない。ことばを発すること、さらにはことばを書くということはことばの先にある（かもしれない）この何かを意識（志向）すること以外のものではない。そうでなければ、ひとはことばを発し、書くことなど必要がないだろうからだ。ひとはひとこともことばを発しなくても、野生人のようにとりあえず生きていくことはできる。幼少期に学校では緘黙症だった人間が突如として詩人になり、詩を書きはじめることができたという例[☆3]もあるくらいだからだ。抑圧されたことばが時を得て表出されるとき、そのことばへの圧縮された意識が詩になって噴出するという現象は意味深い。

詩人（になろうとする者）がほかの誰よりもことばの純粋なかたちについて意識する（はずの）者であるのは、疑いを入れることができない。そこにはみずからがことばを発する（書く）必然以外のなにものも存在しないからだ。学問や批評の言説はなんらかの先在する別の言説をとりあえず対象とするという前提があって、それについて考察することが有力な動機であり動力源となっている。もちろん一定の論述をふまえてさらに先に行こうとするとき、そこには新たな言語の創出という大きな壁が立ちはだかっているだろう。哲学などはまさにこうした壁へのそのつど新たな挑戦であるだろう。詩と哲学が接近するのはまさにそこにおいてなのだが、詩とはそうしたあらかじめの武装準備もなしに素手でこの壁に挑戦するものだと言えるかもしれない。

吉本隆明は初期の「ラムボオ若くはカール・マルクスの方法に就ての諸註」という論考[☆4]でこんなことを書いている。

> 詩作過程を意識とそれの表象としての言語との相関の場として考へれば、詩作行為は意識が言語を限定する心的状態にはじまり逆に言語が意識を限定する心的状態に終る。斯かる

☆3　たとえば一色真理。この詩人の詩集『純粋病』は緘黙症からの離脱過程を記したものとして注目される。この詩集については『詩と思想』二〇二〇年十二月号の拙論「圧縮の力学――一色真理『純粋病』の内実」を参照。

☆4　この評論は『詩文化』一九四九年八月号に発表され、のちに評論集『擬制と終焉』現代思潮社、一九七〇年、に収録された。

過程において表象たる言語が実在たる言語に化する操作が完了されてゐなければならない。……詩において意識の表象としての言語は、一の実在と化して存在しなければならない。詩作行為とは正に、何らかの手段によつて表象たる言語を実在たる言語に化する行為に外ならない。……書くといふ単純な操作を媒介として、如何なる手段によつて表象たる言語を実在たる言語に化するか。けだしここに創造の秘機がある。

（『吉本隆明全著作集5』二〇―二一頁）

ここにはたしかに詩作行為についての貴重な示唆が見られるものの、これが書かれた時代背景と吉本自身の若さという事情を勘案しても、言語にかんする問題としてはいくつもの疑問を呈することができる。まずは《詩作行為は意識が言語を限定する心的状態にはじまり逆に言語が意識を限定する心的状態に終る》とされているのだが、そのまえに吉本は意識と言語の関係を《意識とそれの表象としての言語》というふうにとらえている。言語とはそもそも意識の表象なのだろうかという問題がある。こんなにあっさりと意識と言語の関係を片づけていいのだろうか。詩においてはむしろ言語こそが意識に先立ち、意識はおくれて言語によって表象化されるのではないか。すくなくとも吉本はここではデカルト的であって、意識の先行性と規定性を過信しているのではないか。もっとも、詩作過程が意識による言語の限定からはじまって、逆に言語が意識を限定することである、としているのはさすがに吉本の詩の実作者としての経験による実感に支えられてはいる。しかし《表象たる言語が実在たる言語に化する操作》の完了であるというのは前提がちがうのではないか。意識がその表象としての言語を用いて〈実在たる言語〉すなわちひとつの作品としての言語的定着を意味させようとするのだとすれば、それはたんなる作品化の一プロセスを言うだけのことにすぎない。これだけなら別に〈創造の秘機〉などというものではない。

じつはこの吉本隆明の初期詩論の問題に気づかせてくれたのは、日下部正哉の「史的吉本隆明Ⅰ　敗戦期、創発する思想」（『放題』二号）を読んだからである。凡百の吉本隆明論のなかで日下部の論は質量ともに群を抜いたものであり、そこに初期吉本の「詩と科学との問題」「ラムボオ若くはカール・マルクスの方法に就ての諸註」「方法的思想の一問題――反ヴァレリー論」の重要性が指摘されていたのである。あらためてこれらを読み返してみたが、すでに指摘したように、吉本詩論の方法の間違いに気づいたことにしかならなかった。とはいえ、この引用文の直前に《詩的思想においてマルクスの方法は逆立する》とあって、日下部はのちの『共同幻想論』のキーワードである〈逆立〉がここではじめて使われたことを指摘している。《ランボオとマルクス。詩的思想と非詩的思想》（同前）との対比のなかでマルクスの〈非詩的思想〉がランボオの〈詩的思想〉として逆立する。わたしのことばで言えば、マルクスの伝達（ルポルタージュ）の言語、すなわち意識の表象としての言語からランボーの言語の表象としての意識の創出への逆立ということになろうか。当時の吉本にあっては『荒地』派の鮎川信夫などと同じく、ポール・ヴァレリーの言語の普遍性という概念への囚われがあったのではないか。デカルト＝ヴァレリー的な言語意識がことばのより本質的な隠喩性、つまりことばのマグマ的な原初性と創造性にたいする理解を抑圧していたことがよく見えていなかったということになろうか。そうした意識からは言語の隠喩的本質などは理解できなかったのである。

　そういう意識のありかたについてなら井筒俊彦の『意識と本質』をあらためて繙いてみるとよいだろう。

> 意識とは本来的に「……の意識」だというが、意識本来の志向性なるものは、意識が脱自的に向っていく「……」（Ｘ）の本質をなんらかの形で把捉していなければ現成しない。たとえその「本質」把捉が、どれほど漠然とした、取りとめのない、いわば気分的な了解のようなものであるにすぎないにしても、である。
> （『意識と本質』八頁）

どういうことか。井筒はつづけてわかりやすくこう説明する。

> Ｘを「花」と呼ぶ。あるいは「花」という語をそれに適用する。それができるためには、何はともあれ、Ｘがなんであるか、ということ、すなわちＸの「本質」が捉えられていなければならない。Ｘを花という語で指示し、Ｙを石という語で指示して、ＸとＹとを言語的

に、つまり意識現象として、区別することができるためには、初次的に、少くとも素朴な形で、花と石それぞれの「本質」が了解されていなければならない。そうでなければ、花はあくまでも花、石はどこまでも石、というふうに同一律的にXとYとを同定することはできない。（同前九頁）

ここで言われているのは、意識とはすでに何かにたいする意識として存在するしかないという現象学的な理解である。そしてその何かにたいして或る命名をしたときに、その命名されたことばはあらかじめ本質として了解されているものでなければならない。言語とは意識現象であり、名づけとは本質了解を前提にしているというあたりはフッサール的な本質直観を思わせてやや循環論法と言えなくもないが、ともあれ、井筒の言語理解は言語を意識の表象としてではなく、意識そのものが言語の現象であるという還元においてとらえられていることは確実である。詩の言語構成においては意識が言語に先行するのではなく、言語が先行するのである。まず名づけがあり、ことばが動き出したあとに意識が後続する。そのとき意識はことばが何をめざして発動しているのかわかっていない。

ここは意識論を展開する場所ではないのだが、もうすこしだけ井筒の『意識と本質』について触れておくと、イスラーム学者としての井筒俊彦にあっては意識の対にある本質にも普遍的本質としての〈マーヒーヤ〉と個体的本質としての〈フウィーヤ〉という概念があって、フウィーヤとはあくまでも事物の個体性のなかに本質の実在を見ようとし、普遍的なるものを徹底的に排除する。一方、マーヒーヤのほうは花なら花の個別性ではなく、そのかなたに普遍的概念としての花という本質の実在を見ようとする立場であるとされ、その典型的な求道者がマラルメであるとする。井筒によるマラルメ理解は「詩の危機」のなかの有名な一節《私が花！と言う。すると、私の声がいかなる輪郭をもその中に払拭し去ってしまう忘却の彼方に、我々が日頃狎れ親しんでいる花とは全く別の何かとして、どの花束にも不在の、馥郁《ふくいく》たる花のイデーそのものが、音楽的に立ち現われてくる》("Crise de vers", Œuvres complètes, p. 368.)☆5を引きながら、マラルメに普遍的本質としてのマーヒーヤにかぎりなく接近する思考の動きを感得するのである。井筒におけるマラルメの思考が普遍的意識の極北であるという理解はとても興味深い。

井筒は「詩の危機」のこの箇所を受けてこう言っている。

> ここではもはやコトバは経験的事物の記号ではない。事物を指示するものではなくて、かえって事物を消し、事物を殺すもので、それはあるのだから。そして経験的事物を殺すことが、ただちに普遍的実在の生起なのである。
> 存在のこのような形而上的高みに立って「花」という一語を発音することは、マラルメにとって、神の宇宙創造にも比すべき一つの根源的創造行為だった。だが、それは同時に、事物不在によってひき起される極限的非人間性の鬼気迫る緊迫のうちに、マラルメが

☆5　ここでは『意識と本質』七九頁の引用に従う。

己れの詩の終焉を告げる華麗な、しかし限りなく悲しい、身振りでもあったのだ。

（同前七九―八〇頁）

この井筒のマラルメ理解には不肖のマラルメアンたるわたしなど襟を正さざるをえないところがある。詩の言語意識とはかくも深甚なものがあるのだ。とはいえ、マラルメの秘宮的実践から現代の詩はもういちど現実に立ち返らなければならない。

マラルメほどではなくとも、詩を書くことの意識性というものはどんな詩人（たろうとする者）にとっても必要なことである。しかし、すでに書いたように、意識とは「詩への意識」であるとしても、それだけでは詩のことばを呼び出すことはできない。意識とは詩のことばが書かれることによって呼び出されるものにすぎないからである。その意味では先に引用したシラーの書簡に見られる《われがちに乱入してくる……想念の大群》を《自分の番兵を入口に立てずに》跳梁させる詩人の方法的遊蕩が必要になる。谷川俊太郎が言うように、《有限の語彙から何を選択するかという才能》こそが詩人の唯一発揮できる所業かもしれないのである。

フロイトが大著『夢解釈』の最後で意識にたいする無意識の意味を確認しようとしてつぎのように書いていることは、この意味で注目に値する。

意識の特性を過度に尊重するのをやめるのは、心的なるものの動きを正しく洞察するため

> の不可欠の前提条件である。……無意識の世界は、意識のより小なる世界を自己の中に含むより大なる世界である。すべて意識的なるものは、ある無意識的前段階をもっているのに、無意識的なるものは、この段階にとどまったままで、しかも心的作業の完全な価値を要求しうるのである。無意識的なるものは、外界の現実と同じようにその内的性質からこれを見ればわれわれにとって未知であり、外界がわれわれの感覚器官の報告によっては不完全にしか捉えられないのと同じように、意識のもろもろのデータによっては不完全にしか捉えられないところの、本来現実的な心的なものである。
>
> （『フロイト著作集2　夢判断』五〇一ページ）

ことばとはその意味で意識の表象であるどころか、無意識的な部分を無尽蔵に埋蔵させた宝庫であり、詩のことばはそうした宝庫から未知のことばを奪取する、誰よりも巧みな工作者なのではなかろうか。いや、そうでなければならない。

第八章　言語の生命は隠喩にある

詩と詩論のはざまから

わたしは何度でも同じ問いを繰り返さなければならない。詩を書くということはどういうことか、と。その問いにたいしてあらかじめ答えがあるわけでも、答えへの方向性が見えているわけでもない。答えは詩を書いてみせることでしかないからであり、こうした探究の理屈にもとづいて詩が書けるなんて、そんなうまい話があるはずもない。詩はひとつの特異な論理ではあろうが、散文的な論理とは明らかに異質なものである。そうした散文的論理はあくまでもひとつの整合性をめざすものであってその先になんらかのテロスをもっているのにたいして、詩はそうした論理的帰結とはもっとも縁遠いものである。理屈で詩は書いてはならないし、そもそもまともな詩が書けるわけがない。

それなら「言語隠喩論」など必要ないじゃないか、という声がたちまち飛んできそうだ。そもそも〈言語〉と〈隠喩〉をくっつけているところがどこか変であると思われるかもしれない。言語の創造性とは言語の本質的隠喩性にほかならないというのがわたしの思考のアルファでありオメガだが、どこか座りが悪いのも事実だ。しかし、「言語隠喩論」は詩を書く立場からの発想で言語の原初的構造を探り、その一方でそうした探究の結果を詩を書く現場にもういちど取り戻す、という往復作戦をとろうとしている。もちろんさきほど指摘したように、理屈で詩を書けるわけではないから、これはあくまでも方法の問題として言っているまでであるが、そうした強度な言語意識をもって詩を書くこともまた、安易な詩を書くことを自分に許さないための予防線にはなるだろう。

さいわい数はすくないが、「言語隠喩論」の模索につきあってくれる読者（そのほとんどは詩人だが）がいて、さまざまな意見や感想を書いてきてくれたり、執筆へのお呼びがかかったりしている。わたしの試行錯誤にもなにほどかの意味があるとすれば、それは詩人たちの詩的発語の困難さにたいしてわたしが原理論的に応答しようとして共感的立場を明らかにしているからだろう。安易な詩の書き方に毒されているひとは気づかないだろうが、詩に真摯に立ち向かおうとしている少数の詩人たち、そして言語の創造性に深い興味をもっているひとにとっては、わたしの試行錯誤も容認されるだろう。そもそもこうした問題に関心をもたないひとたちはわたしの「言語隠喩論」など読もうとしないだろうし、読んでも問題の所在さえわからないだろう。

現代は詩も不毛ならば、詩論も不作の時代だ。批評ということばの本来的な意味での危機（クリティック）など感じないひとが詩を書き、詩をダシにしたエッセイや時評的な文章しか書けなくなっている。だから詩論のようなものは誰も読まないし、期待もしていないのが現状なのである。したがって「言語隠喩論」は詩人というより言語そのものに関心のあるひとたちにむけて書かれている。言語に創造的に向きあおうとするひとであれば、別に詩など書かないひとだってかまわないのである。詩を書こうとするひとがどんな問題意識で言語の現場で格闘しているかを知ってくれたら、自分の問題として受けとめてもらえるような気がするからである。

日本人による本格的詩論（詩的言語論）としてはこれまで萩原朔太郎『詩の原理』と吉本隆明『言語にとって美とはなにか』ぐらいしか登場していない。「言語隠喩論」の立場からすれば、いずれにもおおいに不満があり、これらとの詩論的対決は避けられない。もちろんつぎの課題として考えているが、いまのところは「言語隠喩論」の方法を打ち立てるほうが先決である。同じようなところをぐるぐる廻っているだけのように思われるかもしれないが——自分でもいくぶんかはそう思っている——、それでも書きすすめるうちにすこしずつ発見があり、これまで見えていなかった問題が見えてきている。残念ながら参照すべき論点はほとんど西欧の哲学者、言語学者、詩人などに頼らざるをえないのも、近代日本以降、わたしの問題意識にまとまったかたちでヒントを与えてくれる日本語文献はきわめて限られるからである。もちろんこれからも発掘の手はゆるめるわけにいかないが、こちらの問題意識と理解が深まるにつれてこれまでわからなかったことや知らないですませてきたことがつぎつぎに浮上してくるからおもしろい。言語の問題はそれほど深いのであり、さまざまなひとがそれぞれの立場で思考を凝らしているのである。

詩と哲学の接近と訣れ

わたしはあくまでも詩を書く（書こうとする）者としての立場から詩と言語の問題について考えようとしているのであって、学者として研鑽を積んできたわけではないので誤読も思い込みもあろうが、使えるものはなんでも使うというふうに考えている。ただ哲学をつまみ食いして、つまらない文章に味付けをしてわかったふりはしたくないだけである。なんと言っても、哲学のおもしろいところは、物事を理解し分類し定義づけようとする欲望が深いために、どうしてもことばの根源的なレベルにおいてことばを使おうとするから、ときとして詩的な昂奮をもたらすことがあり、そこに詩と通ずるところがある。何度も言及したように、《まずは詩人たちが感覚によって受けとめて通俗的知恵にまとめあげたことがらを、つぎに哲学者たちが理解力を働かせて深遠な知恵にまとめあげることとなったのだった》というヴィーコの金言は、詩と哲学の始原的接近とともに原理的な訣れをあらかじめ用意しているのである。しかしながら、ことばの発生以来、詩という形式をとって本来の隠喩性を無垢なかたちでことばが産出するとき、哲学者はそれをこんどは哲学というかたちで捉えなおし、その解釈をひとつの新たな形式に鋳なおして提出する。哲学者もまたことばしかもたないし、ことばとそれに由来する概念（観念）しか対象としない。詩は新しい世界（像）を生み出し、哲学者はその世界（像）を解釈する。

アリストテレスは《諸学のうちで最も王者的であり、いずれの隷属的な学よりもいっそう著しく王者的であるのは、おのおのの物事が何のためになさるべきかを知っているところの学》（『アリストテレス全集12　形而上学』九ページ）だからであるとして形而上学、すなわち哲学を称揚する。フィロ－ソフィアとは「知恵を－愛する」という意味にほかならないが、この知恵の愛求者たちはまず驚異することから哲学を始めたのである。《ただしその初めには、ごく身近の不思議な事柄に驚異の念をいだき、それからしだいに少しずつ進んではるかに大きな事象についても疑念をいだくようになったのである》（同前一〇ページ）としてどこまでもつづく（自然の）驚異はこの者たちをみずからの無知の自覚に追い込む。にもかかわらず、いや、だからこそアリストテレスはこの知恵の愛求を高くみるのである。

> われわれは、これ〔この知恵〕を他のなんらの効用のためにでもなく、かえってまったく、あたかも別の人のためにではなくおのれ自らのために生きている人を自由な人であるとわれわれの言っているように、そのようにまたこれを、これのみを、諸学のうちの唯一の自由な学であるとして、愛求しているのである。けだしこの知恵のみがそれ自らのために存する唯一の学であるから。（同前）

『形而上学』のはじめのほうに置かれたこの定義は多少まどろっこしいが、ここで肝腎なのは、哲学が唯一の自由の学であるとして、それは《第一の原理や原因を研究する理論的な学であらねばならない》（同前九ページ）とするのだが、それにすぐつづけて《ところで、この知恵は制作的ではない》（同前一〇ページ）とアリストテレスが認めていることである。つまり知恵の愛求者（哲学者）が自由を感じるのは、驚異にたいする知恵であり認識なのであって、制作的なものには関与しないと言っていることになる。先のヴィーコがまさに言っているとおりである。すでにみたように（第四章「詩を書くことの主体的選択」参照）、アリストテレスの比喩論は、比喩がいったん成立したあとの分類と整理の学であって、これもひとつの驚異にたいする知恵の働きであることになろう。だから詩を書くということはこの知恵に先立ってことばの始原的発見（隠喩的発見と言ってもいい）をめざすことにほかならないのである。詩をめぐる理論がいつまでたっても学にならないのは、アリストテレス的な第一の学よりもさらに先行しているからであり、結果（知恵）をめぐって研究する学ではないからであり、そうした（言語的）驚異を生み出す方法は先験的に存在しえないからである。厳密に言えば、詩論とは言えても、詩学とは言いえないことになる。

しかし、そうなると逆説的に詩論は哲学を頼りにすることになる。もちろんすべての哲学が参照される必要はなく、ことばにかかわる哲学の省察、解釈、提言など、とりわけ詩や隠喩にかんする考察などを役だてるだけでいい。
哲学者はことばをつうじて思考のより高度な次元へと概念（観念）を練り上げようとする。たとえばE・カッシーラーは『シンボル形式の哲学』のなかで〈概念〉についてこんなふうに述べている。

概念は、たんに経験が提供する類似性や連関を受け容れるだけではなく、新たな結合を鋳造する。概念は、経験的直観の領域の内的組織や、論理的-理念的な対象領野の内的組織を明確に浮かび上がらせんがために、くりかえし新たに試みられなければならない自由なデッサンなのである。（『シンボル形式の哲学（四）』五二―五三ページ）

ここで〈経験的直観〉とはまさしく詩のことばの経験のことと受け取ってもいい。言語は哲学者においては詩という経験さえも概念化のための素材とするのである。カッシーラーはこの先の「言語と科学――物の記号と秩序の記号」という言語にかかわる重要な章では《言語こそ、思考に直観的現存の圏域を踏破することを教え、思考を感性的な側面から直観の全体へ、その総体へ高めてやったものにほかならない》（同前二一七ページ）と述べて、〈直観的現存の圏域〉たる詩のことばなどを踏まえて直観をきたえあげていくことを推奨する。哲学者のことばと詩のことばとはこのように接近しながら乖離していくものなのである。

西欧の哲学者は、日本の哲学者の多くとちがって、詩と詩的言語、さらには隠喩について多かれ少なかれなにがしかの発言をしている。その発言がその哲学者のどういう立場や観点から出てきているのかは、わたしなどの関知するところではなくてもいい。そういう研究は専門の研究者にまかせて、詩にとって本質的と思われる言説をわたしはこれまでも拾い上げてきたし、今後もそうするであろう。詩にかんする言説、ことばにかんする言説にたいして、詩を書く（書こうとする）者として高くアンテナを張っておけばいいし、またそうするしかないからである。

たとえばルソー――

> 人間にものを言わせた最初の動機が情念であったとすれば、その最初の表現は「譬《たとえ》」であった。比喩的な言い方が最初に生まれたのであり、語の固有の意味は最後に見出された。事物をありのままの形で見るときがくるまで、人はそれを本当の名称で呼ぶことはなかった。はじめ人は詩でしか語らず、ずっとのちになってようやく理性を働かせるようになったのである。
>
> （『言語起源論』、『ルソー選集6』一四五ページ）

これはほとんどヴィーコ的であり、その影響を示していよう。

あるいはニーチェ――

われわれの感官知覚の基礎になっているものは譬喩《ひゆ》であって、無意識的な推論ではない。類似のものを類似のものと同一化すること――一方の事物と他方の事物とにおけるなんらかの類似性を見つけ出すこと、これが根源的な過程である。記憶はこの活動によって生き、間断なく習練をつづけている。混同ということが、根源的な現象なのである。

（「哲学者に関する著作のための準備草案」、『ニーチェ全集3』三一三―三一四ページ）

ここでニーチェは、ギリシア古典文献学者らしく、類似性の発見を詩人の天才と見立てたアリストテレス的である。

さらにはハイデガー――

言葉というものは、存在そのものが、自分を開き明るくしながら―しかしまた秘め隠しながら、到来するということなのである。

（『「ヒューマニズム」について』四六ページ）

もうこれぐらいでいいだろう。ここにある種の哲学者の系譜をみようとすることも可能かもしれない。詩あるいは詩のことばについて語る哲学者にはいくぶんかファナティックなところがあるかもしれないからだ。《とても記述とは言えず、どのような記述よりも原初的な叫び声こそ、それにもかかわらず、心的生活のひとつの記述という役割を果たしているのだ》(『哲学探究』、『ウィトゲンシュタイン全集8』三七四ページ)と書くヴィトゲンシュタインにしても、そうなのだ。あるいはまたことばの本質的な問題を考えるとき、哲学者は詩の問題を考えざるをえないし、そうなるとことばが本来的にもっている隠喩性がなにかことばのもっている驚異にふれているのが見えるはずであり、そのことによっていくぶんかテンションを高めてしまうのではなかろうか。ことばの問題を正面から問うとき、哲学者もまた詩人に近づくのである。ニーチェは先に挙げた論考のなかで真理とは何かについてこんなことも言っている。

真理とは、何なのであろうか? それは隠喩、換喩、擬人観などの動的な一群であり、要するに人間的諸関係の総体であって、それが詩的、修辞的に高揚され、転用され、飾られ、そして永いあいだの使用のあとに、一民族にとって確固たる、規準的な、拘束力のあるものと思われるに到ったところのものである。真理とは錯覚なのであって、ただひとがそれの錯覚であることを忘れてしまったような錯覚なのである。(『ニーチェ全集3』三五四ページ)

ニーチェのように民族的驕りや社会的規範から、また哲学の学問的影響関係からも超越した立場に立てるものからすれば、真理とは、さまざまな言語的経験を重ねたうえで最終的には《使い古されて感覚的に力がなくなってしまったような隠喩》(同前)ということになる。まさにリクール的な〈死んだ隠喩〉として真理というものも哲学的に回収されてしまうのだ。詩が隠喩として未知の世界を開拓するのだとしても、その世界はいちど顕現し認知され人口に膾炙してしまえば、その最初の驚きは《肖像が消えてしまってもはや貨幣としてでなくいまや金属とみなされるようになってしまったところの貨幣》(同前)にすぎないものになってしまうのか。世界の驚異の解釈者としての哲学者からみると詩もそうした世界の部品のひとつかもしれないが、ほんとうにすぐれた詩とは、どれほど解釈したとしてもほんとうにその豊かな資源が汲み尽くしえないものではないだろうか。そのことばは後続する世代にたいしても波状のごとく永遠の生命力が寄せては返すような宇宙的力動性をもつのではなかろうか。ニーチェが忘れたのは、こうした詩の一篇一篇がもつ真の独自性がひとつの真理であるとしても、その真理は時間とその〈使用〉によって力を失うことはない、ということである。詩がその力を失うのはそれ自体の質においてであって、時間や流行のやすりにかけられたらすぐ消滅してしまうような種類のものなら話はべつだが、詩が体現する一回性としての存在は、いつでもその命運をことばにかけているのであって、そのことばが新たな読解によってその可能性が更新されるかぎり、詩のことばは力を失わないのである。詩が哲学と手を切るのはそこからなのである。

吉本隆明の喩法論批判

あらためて考えてみると、日本(語)の詩にはこうした哲学的言説によるサポートというものがほとんど存在しない。文学研究者による詩史的研究やモノグラフ研究などの成果には否定しえないものがあるが、残念ながら、それらに詩のことば、あるいはことばそのものをめぐる哲学的ないし原理的考察は期待できないと言っても過言ではない。それらの研究においては詩の言語とは或る時代におけるひとつの現象の集積以上のものではない。そこからどういう切り口で詩史的ないし個人史的な整理をつけ、これまでにない解釈をほどこすかということが生命線になっている。もちろん当人たちは詩人ではないから、詩のことばの発生についての考察はあくまでも解釈論的な表層にとどまるのはやむをえないかもしれない。ただ、そういう研究が役に立つことはたしかにあって、思いがけぬ深い連関のなかに詩のことばがある（あった）ことがわかるようなときは、これまで見えていなかったことがにわかに判明することもある。

とはいえ、詩とはどういうものであるか、詩のことばはどういう質のものであるか、ということ自体を詩作行為のうえで考えぬこうとすれば、もっと原理的な考察を必要とする。萩原朔太郎や中原中也の生涯が解明されたところで、それぞれの詩のテクストがいまにいたるもひとのこころを揺さぶる力をもちつづけている、そのことばの根底は十分に明らかになっているとは言えないのである。わたしの言語隠喩論からすれば、それぞれの詩語がもたらす隠喩性、隠喩的な世界切開力にたいする関心がなければ、いつまでたっても詩のことばはそこにつねに現前しているだけのものにすぎず、ことばの血脈は見えないままである。

さきほど日本人による本格的詩論の不在について述べたが、それは研究者はもとより詩人たちにおいてもことばをそれ自体として論ずる視点と意欲が欠けていることによるのだとわたしは思っている。鮎川信夫、大岡信など優れた詩的業績をもちながら、もう一方で詩論や詩的批評をも背負わなければならなかった日本現代詩の不幸は、彼ら亡きあと、いまやますますそのどん底にいたっている観があるが、ほかにいなければ自分でやるしかないのが現実である。そうした数少ない詩人たちのなかでも吉本隆明は、その知の方向が原理的な考察を試みながら詩を超える領域にまで手を広げえた、という意味で特筆すべき詩人であることは間違いない。その吉本の大きな達成のひとつが『言語にとって美とはなにか』（初版、一九六五年）であることは言うまでもない。そこに見られる言語についての考察はある意味で特異であるが、おおいに問題をふくむものでもある。しかも詩論という以上にひろく文学論としての結構をもっていると言うべきであり、これについては別の枠組みであらためて論じるつもりなので、ここではくわしくは論じない。しかしながら、そこでの喩論の骨格を準備するものとして「詩人論序説」[☆1]という五部立ての論考があり、そのなかに「3　喩法論」という一節があることにここではとりあえず注目してみたい。

　この六〇年以上もまえに書かれた論文をいまさら取り上げて批判するのもいささか気がひけるが、ここでの吉本の隠喩（比喩）についての理解があまりにも独断的かつ非論理的なので検討と批判が必要だからである。まず冒頭からこんなことが言われている。

☆1　初出は『現代詩手帖』一九五九年十二月号〜一九六〇年十一月号にわたって五回連載され、『吉本隆明全著作集5』に初めて収録された。ちなみに「3　喩法論」の初出は一九六〇年三月号。

文学的な表現、ことに詩の表現で喩法はしきりにつかわれている。

(『吉本隆明全著作集5』四一八頁)

一見さりげない書き出しで、なんとなくもっともらしく思われるだろうが、わたしの言語隠喩論のこれまでの論脈からも想定してもらえるだろうように、喩法が詩においてひとつの道具にすぎないかたちでとらえられていることがそもそも問題なのである。吉本自身も後年、〈全体的な喩〉という概念(『マス・イメージ論』一六七頁)☆2を見つけてはいるのだが、こうした喩法の理解を根本的にあらためたわけではない。ただ、そこでは〈全体的な喩〉を定義して《言葉が現在を超えるとき必然的にはいり込んでいく領域》(同前一六七―一六八頁)とし、《喩は現在からみられた未知の領域、その来たるべき予感にたいして、言葉がとる必然的な態度のことだ》(同前一六八頁)とするところに、詩のことばが未知の世界に手探りで入っていく感触だけはすでに把握できるところまできていたのも事実だ。

それはともかく、吉本は「詩人論序説」の「3　喩法論」で、まずは喩法を道具のように使うという前提から始めて、ピエール・ギローの教科書的な喩法の紹介をしたあと、鮎川信夫の『現代詩作法』の常套的で平板な比喩論をいくつか引用したうえで、書きくわえる。

鮎川信夫の『作法』では、喩法の意味は、実例をもちいて、かなり精密に論じられてい

☆2　ここでも「喩法論」という名の章が与えられている。

る。しかし、依然としてわたしたちが欲しいのは、喩法は何故可能であるか、という本質的な問題から、喩法の実体にいたる過程である。

（『吉本隆明全著作集5』四二〇頁）

ここで吉本は間違った前提ながらも喩法の本質的問題、〈喩法の実体〉を知りたいという詩人ならば正当な欲求にたどりついている。わたしならば、〈喩法の実体〉こそが詩そのものであり、その過程とはことばを〈身分け＝言分け〉的に見出していくことこそが詩を書くことそのものである、ということになる事態である。

ここから吉本の論理は錯綜をきわめていく。言語表現の《感覚的な形象を、無限におおくの関係の側面から把握し表現することができるという特性》（同前四二一頁）を挙げたうえで、

言語表現の意味が、感覚的な形象と一義的にむすびつかず、ただ普遍的な関係にだけ結びついており、また、感覚的な形象は、無限におおくの言語表現の意味とむすびつくことができるという、言語表現と感覚的な形象との関係が、喩法の成立する本質的な理由であることは、あきらかである。

（同前）

と書いている。言語が普遍的な関係として成立し、一方、感覚的な形象のほうは多くのことばと結びつくという不均衡な関係があるから喩が成り立つのだということであろうが、ここは吉

本が言うほど明らかではない。たしかにことばは感覚的な形象と一義的に結びつかないから、ことばを発することは文脈上いろいろな意味をもちうるのは事実であるが、それがなにものかの喩になるという保証はほんとうは成り立たない。そこを吉本は強引に明白な事実であるかのように突き進むのである。そしてつぎのような断定をおこなう。

したがって、わたしは、ここで、喩法をピエール・ギローのように修辞学的に分類することをやめて、ただ、感覚喩、意味喩、概念喩の三つにわけなければならない。直喩とか隠喩とか寓喩とかいう分類は、喩法の本質論からは、あまり意味がなく、表現類型としてのみ意味があるとかんがえられるからである。言語の感覚、意味、概念のあいだに、たくさんの対応が成立するため、そこに喩法が成立するのである。（同前）

ここでは従来の修辞学的比喩論の分類を取り下げて、突然、感覚喩、意味喩、概念喩という意味不明の概念が狩り出されてくる。たとえば意味喩とは《言語の意味機能の面によって成立する喩法》（同前四二二頁）と説明され、《感覚喩は、ひとつの言語表現の喚起する感覚的形象が、ひとにより無限に異なることができるという言語の本質に根ざして成立している》（同前四二四頁）と、さらに概念喩とは《感覚喩としても、意味喩としても必然的な構成をもたないが、持続性の関係において喩法としての必然をもつもの》（同前四二五頁）と定義されているのだが、いったい何のことなのかさっぱりわからない。修辞学的な比喩論が《喩法の本質論からは、あまり意味がなく、表現類型としてのみ意味があるとかんがえられる》と吉本が言うのは、詩の言語がもつ深い隠喩性に想到していないがゆえの暴論にすぎず、その代わりに無意味な喩法論をでっちあげたにすぎないのである。

ところで、吉本はこの三つの概念を詩の解読にこじつけていくが、当然のことながら、まったく説得力がない。一例を挙げておこう。黒田三郎の詩「白い花」から

葬列のように
ゆるやかに
無数の黒い小さな蝙蝠傘が
流れてゆく

（『吉本隆明全著作集5』四二七頁の引用より）

を引いて、《ここで、「葬列のように」は、ゆるやかに、にかかる感覚喩であり、無数の黒い小さな蝙蝠傘は、人の群の感覚喩である》（同前）と説明しているが、なぜ「葬列のように」はそれ自体で直喩であるとともに意味喩でないのか。「無数の黒い小さな蝙蝠傘」だってひとの群れを示す隠喩ないし換喩であって、しいて言えば意味喩ではないのか。このあたりまったく説

得力がないとわたしが言う意味は誰がみてもわかるだろう。ことばは意味をもつからなにものかを示し、同時にそれがなんらかの感覚を呼び起こし、場合によってはなにかの概念にも結びつくだろう。そうしてみると、これは感覚喩、こちらは意味喩などという奇怪な分類こそがまったく意味をなさないのである。

吉本はそれから数年後にまとめられた『言語にとって美とはなにか』のなかで、この奇怪な喩の概念を《(自己表出としての)**意味喩または像的な喩**》(『吉本隆明全著作集6』一二五頁)と変更している。しかもこのなかの「第III章　韻律・撰択・転換・喩」の「2　詩的表現」は引用もふくめてこの「3　喩法論」の引き移しと言ってもよいので、おそらくこの間に吉本のなかで喩にかんする解釈の根本的な改訂があったと考えられる。とはいえ、この「詩人論序説」のなかの「4　表現転移論I」と「5　表現転移論II」がのちに『詩学叙説』(思潮社、二〇〇六年)として、比較的新しい論考もくわえてまとめられた詩論集のなかでは、「詩人論序説」と同じこの奇怪な喩の三分類をそのまま残しているのであるから、この改訂も不十分なところがある。このあたりは文献処理的にどうなっているのか、よくわからない。

ただ、この奇怪な喩論にもかかわらず、吉本は「4　表現転移論I」の冒頭でつぎのような重要な問題提起をしている。

喩法の成立過程論は、つぎに必然的に喩法の構造論におもむくべきであるかもしれない。

日本現代詩の喩法の類型をたどりながら、現在の日本の詩法の発展段階で、いかなる喩法の可能性があり、それがどのようなところまで境界をひろげることができ、それが将来どのような方向をたどるかを、本質的に指摘することがのこされた課題であり、また同時にそれは詩の本質論の最後の問題である。

（『吉本隆明全著作集5』四二九頁）

最後の問題かどうかは別として、この設定は正しい方向を示している。吉本流の発展段階論はどこか社会発展とパラレルなところがあり、とくにこの時期には「日本の現代詩史論をどうかくか」（一九五四年）に典型的にみられるような社会経済史的な反映論も残存していただろうから、ここでも喩についての発展段階論が着想されるのもおおいにありうることだったのかもしれない。日本の近代詩史を考えると、『新体詩抄』（一八八二年）以来の日本語の詩的言語にはたしかにことばにたいする詩人のがわからの発見、自覚、挑戦といった動きによって短期間に劇的な変化を経験することになった事情があり、そのことを考えれば、そこに詩のことばの現象学としての変貌を、喩を軸にして検討する必要があったことは明らかである。にもかかわらず、こうした試みは吉本隆明以外にはほとんどなされてこなかったというのが、いまにいたるも寂しい現実なのであるが。

ともあれ、吉本はこの二篇の「表現転移論」で『新体詩抄』以降の近代詩史を喩の使用法という観点からこの発展段階論にふさわしい切り口で分析してみせている。部分的には疑問なしとしないところもあるが、まずは鮮やかな近代詩史論となっていることは認めなければならないだろう。たとえば島崎藤村の『若菜集』（一八九七年）のなかの「おくめ」を評価する。

……わずか八行くらいのあいだに、「おくめ」の動作の表現と、千鳥のなく情景の聴覚的な表現と、「おくめ」の意中の描写と、作者主体の願望の表現が転換をうけながら、ひとつの持続の必然的なつながりと展開をあたえられている。この詩が成功した理由は、藤村が作中のおくめという娘に感情移行することによって意中の表現を可能にしつつ、それになりきった主観的な独白体にはせずに、作者主体としての立場をもサスペンス《（ママ）》している独特な方法の効果によるだろうが、この詩や、鉄幹の詩にいたって、詩としての表現の美的な条件は成立したということができる。（原文改行）明治三十年から四十年にかけての日本近代詩は、表現としての最少《（ママ）》条件の成立という基盤をふまえて、喩法を自立させる過程としてみることができる。おそらくこの時期に、近代詩の喩法は、慣用された観念や知識の連合から、作者主体による意味連合や感覚連合として自立し、そのことによって対象の持続的な追及《（ママ）》の過程で必然的におこなわれる喩法としての資格を獲得したのである。

（『吉本隆明全著作集5』四三八頁）

なお、藤村の「おくめ」とは四行九連からなる詩であるが、ここで吉本が言及しているのは以下の冒頭の二連である。〈こひしきまゝに家を出で／こゝの岸よりかの岸へ／越えましものと来て見れば／千鳥鳴くなり夕まぐれ〃これには親も捨てはてゝ／やむよしもなき胸の火や／鬢の毛を吹く河風よ／せめてあはれと思へかし〉（ルビは省略）

そして吉本は《主体的な喩法の原初形》として土井晩翠の詩「星と花」（詩集『天地有情』）からつぎの部分——

同じ「自然」のおん母の
御手にそだちし姉と妹《いも》
み空の花を星といひ
わが世の星を花といふ。

を引用して、こう論評する。

この詩の芸術的な自立感は、ただ、星を空にある花として意味連合し、花を地上の星として意味連合させたことによるだけであることに注目すべきである。いわば、喩法だけで成立している詩ということができる。

（『吉本隆明全著作集5』四三八—四三九頁）

ここでの〈意味連合〉とは、いまならたんに初歩的な隠喩と呼んでもかまわないものだが、こうしたレベルであっても原初的な喩が動きだした時代を的確につかんで《喩法だけで成立している詩》として方法的に見出していく吉本の詩史論的嗅覚はさすがである。わたしからすれば、《喩だけで成立している》テクストこそを詩と呼ぶべきなのであって、吉本はそこまで喩の自立性を信憑していなかったことになる。吉本の慧眼をもってしても、その詩論自体が日本近現代詩史論の枠の中にいまだ囚われていたと言うしかないのである。

詩を書くことの定義づけ

ここでまた最初の問いにもどってしまう。詩や詩論を読むようにすんなりとみずからの詩の世界に没入することはできないものか。詩や詩論を読むことから詩論を書ける状態にもっていくことは必要さえあればなんとかできることだが、詩ではそうはいかない。

> 詩はもっとも主体的な創造でありながら、同時に全現実と全幻想の領域の表現であるという矛盾した綜合をなしとげうる唯一の文学領域であるといえる。詩論はこの総体性に論理をあたえることによって、詩についての考察でありながら個別性の根拠と全現実の批判とを綜合することによって、詩の外へ独歩してゆく可能性をもっているはずである。
>
> （吉本隆明「詩論について」、『吉本隆明全著作集5』四七五頁）

ここでもういちど吉本隆明をダシに使わせてもらうが、詩論についての見解はいいとして、詩についてはどうも異論を言いたくなる。《全現実と全幻想の領域の表現であるという矛盾した綜合》が詩なのか。もっとシンプルに、ことばのもつ無意識的な起動力と隠喩的な世界切開力に最初は依拠しながらそのことばの運動に身を委ねつつそこに意識的な統御をくわえていく行為こそが詩だ、と言ってみたらどうか。無意識的なことばの運動に身を委ねるだけではかつてのシュルレアリスムの主張となんら替わるところはないし、最初から意識的な行為として詩を立ち上げたら、その詩はことばの自由な運動をもてないままに理屈だけの詩になってしまうだろう。フロイトがシラーの詩にたいする無意識の役割を高く評価したように（第七章「詩という次元」参照）、ことばの無意識の力動を呼びこむことなしに詩は書けないのではなかろうか。

詩を書くことにおいて、ことばの無意識はそれまでの詩人の生の経験に折りたたまれた知識、感受性の歴史が反映したかたちで出現するしかない。その意味で詩の経験とはきわめて個人的なものである。そして同時にこの経験に折りたたまれた知識、感受性の歴史は或る種の共同性の産物でもあるにちがいないから、そこにおのずから時代的（世代的）な差異やその限界、そしてその限界を突破する個人的な特異性（才能）というものが出現するのである。日本の近現代詩史をみれば、そうした経験とその実践の試みがいたるところにきらめいていることを見てとることができる。そこにことばの隠喩的力の発見と発展の歴史を読み取ることができると言うこともできるはずである。

スーザン・ハンデルマンは《芸術家は差異を創造する。彼は類似性を産み出さない》（『誰がモーセを殺したか』一九五ページ）と書いている。この芸術家を詩人と読みかえれば、さきほどのわたしの詩の定義づけにも合致するだろう。そしてこのことばはアリストテレスの隠喩の定義をすこし超えている。なぜなら彼女は《言語の起源としての隠喩》（同前三三一ページ）ということばを書きつけているように、言語の本来的隠喩性を了解しているからであり、アリストテレスはことばの類似性の発見に比喩（隠喩）の可能性を見出しているだけだからである。

たまたま日本の現代詩人たちが「詩とは何か」といった設問の試みをしてみても、[☆3]ふだんそういう問題意識が脳裡に萌したことのない詩人たちがほとんどまともに答えられないというさびしい現実がある。たとえば松下育男は冒頭から《誤解を恐れずに言うならば、僕の中には詩とは何かなんてどうでもいいじゃないかという気持ちがある》とその回答文「『どうでもいいじゃないか』では済まされない」で書いている。もちろんタイトルにあらわれているように、「どうでもいいじゃないか」と思っているわけではないと言いたいのだろうが、本音は隠せない。詩がまずあって、それから「詩とは何か」がついてくる、というわけである。わたしもすでに述べているように、〈詩とは何か〉があって詩が書けるわけではないことは、明らかである。しかし、そのことから〈詩とは何か〉を考える必要はない、という主張が出てくるとすれば、それは決定的な誤りである。だから詩はあくまで個人的なものであり、そうした認識さえ

☆3　たとえば『季刊　びーぐる　詩の海へ』50号（二〇二一年一月）が「詩とは何か」という特集をしている。

あれば詩が書けるというのはひとつのたんなる事実にすぎず、そこには場当たり的な詩の試行錯誤の結果が現われるにすぎない。松下のように才能のある詩人ならどこかで突破口を見つけられるかもしれないが、凡庸な詩人はそうはいかない。これではこれまでの日本近現代詩史の再現ないし縮減にとどまることになる。ことばの勘のようなものだけでは新しい詩は生まれないのである。

言語の生命は隠喩にある。すなわち、言語は、事物の、まだ理解されずにいた関係を明確にし、その理解を永続せしめるものである。（『シェリー詩集』二五二ページ）☆4

イギリスのロマン派詩人P・B・シェリーは未完の詩論「詩の擁護」（一八二一年）でこんなふうに書いている。三〇歳をまえに不慮の海難死に見舞われたシェリーにとってこの詩論は二部構想のうちの第一部にあたるもので、《詩の要素と原理にかんするもの》、《狭義の詩とよばれるものが、人間生活の素材を容易に整理しうる、しかもひろい意味における詩である、秩序と美のあらゆる他の形式とその起源をともにしていることを明らかにした》（同前三〇一ページ）とされているが、もしシェリーがこの詩論の第二部まで書き上げることができていたら、詩人による本格的な詩論のひとつがうまれていたにちがいない。しかし、書き遺された第一部からでもここに引いた貴重な原理的考察がなされたことだけでももって瞑すべしとするべきであろう

☆4　ただし、この箇所の引用文はアイヴァー・A・リチャーズ『新修辞学原論』石橋幸太郎訳、八三―八四ページの引用文を利用させてもらった。こちらのほうが明快だからである。

か。天才的な詩人であったシェリーさえ、わたしがさきに書いたように、詩を書くことの困難さを書いている。

詩は、理性すなわち意志の決定によってはたらく力ではない。「わたしは詩を作ります」と言うことはできない。いかに偉大な詩人でも、そう言えないはずである。なぜなら、創造する精神とは、消えかかった炭火が、気まぐれな風のような、目に見えぬ力にあおられて、一瞬、あかあかと燃え上がるようなものだからである。(同前二九三―二九四ページ)

シェリーのような才能をもってしてもこのように言わざるをえない詩の創造とはつまるところこのようなものなのである。しかし、詩を書こうとする者は、このことを自覚しつつ乗り超えていかなければならない。《詩人は、(中略)みずからは理解せぬことを表現することばである。(中略)動かされる力でなく、動かす力である。詩人は世界の非公認の立法者である》(同前三〇三ページ)のだから。シェリーは詩の言語が隠喩そのものであり、言語を通じて世界を切り開くこと、これまで見えなかった関係を目に見えるようにすることであることをはっきりと認識していたのである。

こうして詩を定義する試みはまたもや隠喩論への回帰を促さざるをえない。

リクールの隠喩論

さて、そうなると隠喩論の現代におけるもっとも有効な理解と理論を展開している論者としてポール・リクールの名前を挙げておかなければならないときがようやくきたようである。すでに論じたように（第六章「詩作とはどういうものか」参照）、ジョージ・レイコフ／マーク・ジョンソンが『レトリックと人生』において〈時は金なり〉といったような常套的メタファーをひとが生きるうえで有意的な意義をもたらすとしたのとはまったく逆に、リクールはこうした隠喩を〈死んだ隠喩〉とみなし、《死んだ隠喩とはもはや隠喩ではなく、それは字義通りの意味に加算されて、その多義性を拡大するものである》（『生きた隠喩』三七〇ページ）と切り捨てる。それはふつうの辞書にも字義通りの意味に追加されたかたちで登録された意味にすぎないのである。

ひとはそういうことばをもはや隠喩としてではなく、ことばのたんなる拡張的意味として理解するだけである。たとえば「椅子の脚」とか「人生のたそがれ」といった喩えの「脚」「たそがれ」がそれぞれの字義通りの意味ではなく、椅子の下支えをする四本（または三本）の棒状の物体、そしてひとの一生の晩年を意味することをごくふつうにひとは理解するということである。そこにはとくに斬新な意味はない。そういう喩えに慣れていないひとにとってはいくらか新味もあるだろうが、そういうひとでも一拍おいて理解することは十分可能である。とりわけ「椅子の脚」などはほかに言い換え自体がむずかしいほど固定化したことばになってしまっている。それにひきかえ、〈生きた隠喩〉とはひとにとって存在論的な意味と価値をもつ。

しかしそのことをさらに考えていくまえに、隠喩とは歴史的にどのようにとらえられてきたのかをひととおり確認しておかなければならない。

そのためには恰好のテクストがある。一九七五年に初版が刊行されたリクールの代表作『生きた隠喩』の直前、一九七四年にドイツの神学雑誌『Evangelische Theologie』のメタファー特集号に掲載されたリクールの二本の論文のうちの「聖書的言語における隠喩の役割機能」というテクストの翻訳（リクール／ユンゲル『隠喩論――宗教的言語の解釈学』所収）☆5である。ここでリクールは《古典古代、および現代の修辞学が隠喩と呼んでいるあの表現方法の役割を宗教的言述にも認めることである》（同前八二ページ）としつつも、さらにその先で《ここでの問題が言述のあり方の分析といった狭い意味での分析、真理への要求とは無関係に企てられるたんなる言語学的な分析以上のものである》（同前）と述べたうえで、明らかにしようとする問題を四つ挙げている。しかしその問題が何かをを明らかにするためには、リクールがギリシア時代から十九世紀にいたる長い修辞学研究（隠喩研究）の歴史をこれ以上ないほど簡潔な図式にまとめていて、この図式はこれまでの西欧修辞学とはどういうものであるかを知り、どこに重大な間違いがあるかを知るうえでとても役に立つので、さきに紹介しておこう。

☆5　この本は雑誌特集の全訳である。

一、隠喩は一種の転義（トロープス）である。つまりそれは、命名にかかわる転義的な表現方法である。
二、それは、本来的な意味からの逸脱による命名の拡張である。
三、隠喩において逸脱の基礎となるものは類似性である。
四、類似性の基礎は、文字通りにも表現されえたであろうある表現を、転義的な意味で用いられた語によって置換することである。
五、置換された意味は意味上の革新を含むものではない。したがって隠喩を翻訳することも可能である。つまり、比喩的な表現は本来的な語によって元に戻すことができる。
六、隠喩は新しいものを生みだすことがないので、隠喩によって現実について何かが経験されることはない。つまり、隠喩は言述のたんなる装飾であり、そこには情緒的な機能が含まれている。

（同前八五ページ）

すでにこの言語隠喩論において述べてきたことからすれば、なにをいまさらと思われるだろうが、この水準で隠喩をいまだに認識しているひとがいるのである。リクールも『生きた隠喩』で展開する隠喩論をいわば先取りし要約するかたちでここに披瀝したとも言えるのであり、この論点をこのあとひとつひとつ吟味し批判していくのであるが、わたしたちもそれを追尋しておくことによって隠喩にかんする議論のエコノミーを得ることができるだろう。

まず「一」の隠喩の転義性についてのテーゼであるが、意味の創造においては、個別の語の意味論にかかわる以上に隠喩は陳述＝文の意味論にかかわるものであり、たんなる語の転義ではなく文の意味論全体にかかわるものである。隠喩を用いるということはある陳述のなかにI・A・リチャーズの言う主意＝主旨（tenor）と媒体＝表現手段（vehicle）の緊張関係を持ち込むことである。つまり本来の意味である主意＝主旨と隠喩的表現である媒体＝表現手段の二重性という緊張関係によって文は構成される。[☆6] リクールの挙げた例で言えば、ある詩人の[☆7]〈緑の夜〉というのがそれにあたる。夜は緑とは通常は結びつかないのであるが、この場合、詩の論理のなかで夜は緑でなければならないことによって、緊張関係を生み出すのである。ここからリクールは《隠喩とは、隠喩的な陳述のなかにあるあらゆる語のあいだの緊張関係によって成り立つものである》（リクール前掲論文、『隠喩論』八六ページ、原文すべて強調）という定義を引き出している。この緊張関係は字義通りの意味のほかにもうひとつ以上の意味を生み出すのである。ここでさきほども言及したハンデルマンが《隠喩は同一性と差異性のあいだの緊張のなかに存在し、隠喩的類似はじつは同一性と差異性の統一体なのである。》（『誰がモーセを殺したか』五六ページ）と言っていることが参考になる。

つぎに「二」の本来的な意味からの逸脱のテーゼであるが、これは隠喩が《陳述そのものの全体の次元での述語化の機能》（リクール前掲論文、『隠喩論』八六ページ）であって、隠喩的な言述はときに不合理なものになる。字義通りの意味では緑の夜はありえないからである。したがって隠喩

☆6　リチャーズの『修辞学の哲学』（邦訳名『新修辞学原論』）におけるこのあたりの論点については第四章「詩を書くという主体的選択」で言及した。

☆7　この詩人とはおそらくデレク・ウォルコットを指すのだろうが、未確認。

が成り立つのは解釈によってなのである。《隠喩的解釈は、自らを解体する逐語的解釈を前提とし、無意味な矛盾を有意義な矛盾に変換させることによって成り立つ》(同前八七ページ)というわけである。この変換によって語に一種のねじれ(twist)が与えられる。《新たな意味、意味の拡大が語につけ加えられなければならず、それは、逐語的解釈が意味を奪うところで、意味を与えることを語に許す》(同前)のである。リクールはこの意味を字義通りの解釈に生じる矛盾にたいする〈異議申し立て〉のようなものだと言い、語にねじれを与えることによって《隠喩的な陳述は意味を獲得する》(同前)のだと言う。このあたりのリクールの論の展開はややこじつけっぽいが、この〈ねじれ〉という解釈は、リクールは言及していないが、明らかにモンロー・C・ビアズリーの理論にもとづいている。ビアズリーはよく知られた「隠喩のねじれ」のなかでこのねじれについて述べている。

> 隠喩においてなされるのは、修飾辞それ自体の二層の意味を巻き込む言語の特殊な働き、もしくは言葉の戯れである。すなわち、述語が主語にたいして隠喩的に結びつけられるとき、その述語は(おそらく他の文脈ではもつことのない)新たな内包を獲得し、そのために通常の外延を失う。そしてこのような意味のねじれは、隠喩それ自体のなかに含まれている内的緊張、つまり内的対立によって引き起こされるのである。
>
> (「隠喩のひねり」、『創造のレトリック』三二ページ)☆8

☆8　なお、引用では「ひねり(twist)」という訳語を「ねじれ」に変更させてもらった。

語の本来的意味からの逸脱という隠喩の第二の解釈はこうして字義通りの意味との対立、緊張関係、そして意味のねじれを生み、語の意味を陳述のなかで大きく拡張するのである。

さらに「三」の隠喩の基礎としての類似性のテーゼは、すでに古くアリストテレスによって提起されたものであるが、ここでは通常ではありえないもの同士の類似性の発見にまで及んでいる。いわゆる「カテゴリー・ミステーク（範疇錯誤）」（ギルバート・ライル）[☆9]を犯すことを恐れず、むしろ〈計算された読みちがい〉を引き起こすことである。《ほかならぬ計算された誤解のおかげで、いままで隠蔽されており、従来のグループ分けでは相互交換が不可能だった語のあいだの意味の類縁性を生じさせる》（リクール前掲論文、『隠喩論』八八ページ）のであり、リクールの例で言えば、《時間は乞食である》（同前）がそれにあたる。《よくできた隠喩とは、それが写しだしている以上の類似性を創り出すのである》（同前）とリクールが言うのは、隠喩とは思いがけない類似性によってさらなる発見の豊かさを生み出すことを指している。

さて、「四」の類似性の基礎を語の転義による置換によって定義するテーゼは、リクールによれば語と語のあいだの緊張の理論によって乗り超えられる。《隠喩は瞬間のなかにのみ生きる創造であり、意味論的な革新》（リクール前掲論文、『隠喩論』八九ページ）である。したがって《隠喩とはそれゆえ、類似性による単純な連想以上に、謎解きにも似たものである。つまりそれは、意味論的な不協和音の解消である。》（同前）そこではもはや〈椅子の脚〉というような死んだ隠喩

☆9　ギルバート・ライルについてはこの「カテゴリー・ミステーク」という述語ばかりが有名だが、野家啓一によれば《イギリス哲学の名にふさわしい哲学者》（『言語行為の現象学』三〇〇頁）という位置にあり、この本にその哲学についてのくわしい紹介をふくむ一章「現象学と分析哲学の交差と断絶――ギルバート・ライルとフッサール、メルロ＝ポンティ」が充てられている。

は論外となるのであって、《隠喩は辞書には載っていない》（同前）ということになる。類似性が、ヤコブソンが言うように、詩的隠喩の根源にあるのは、その類似性という審級が無限の可能性をもち、そのぶん発見の歓びもそれだけ大きいからである。

　さらに「五」の隠喩の翻訳可能性についてのテーゼにたいしてリクールは全面的に対立する。これまでの論述からも明らかなとおり、隠喩は本来の語にたいしてたんなる置換、転義の関係ではなく、意味のねじれも含んだ語との緊張関係にあり、カテゴリー・ミステークも辞さない新しい類似性に基礎づけられているのであるから、意味を元に戻すことなどありえないし、無意味だからである。《真の隠喩は翻訳不可能であり、（中略）もちろん隠喩が翻訳不可能であるということは、その書き換えが不可能であるということではない。しかし書き換えは無限に続き、それによっては意味の新しい導入を汲み尽くすことは決してできない》（リクール前掲論文、『隠喩論』八九—九〇ページ）からである。そしてこの意味の汲み尽くしがたさこそ詩の隠喩性の本質であり、詩の言語がなにものによっても置き換えることができないことを明らかにする。《詩的言語は事物そのものを文字通り語るのではなく、事物がどのようなものとして存在するかを隠喩的に語るのである》（同前一〇〇ページ）とリクールが言うのは、詩がその形のままでしか保存できないこと、詩の意味はほかのことばでは語り尽くせないことを言っているのである。

　最後に「六」の隠喩が新しいなにものも生み出さず装飾的なものにすぎないというテーゼにたいしては、逆に隠喩は〈新しい情報〉をもたらすのであり、カテゴリー・ミステークの冒険によって《前代未聞の接近が可能となり、それによって新しい意味論的な領域が開かれる》（同前九〇ページ）とされる。このことはとりわけことばそのものの隠喩性が露出される詩の言語において実現されるものであることはいまやあらためて主張することもないだろう。リクールは『生きた隠喩』のなかでこのことを《範疇的秩序を侵犯する〈隠喩表現〉は、また、その秩序をうみだす〈隠喩表現〉なのである》（『生きた隠喩』二五ページ）と定式化した。この〈隠喩表現〉によって生み出された秩序こそが詩作品というテクストなのである。

そこで、すべての隠喩研究上の問題点を批判的に検討したことになるので、この論文の最初に挙げられていた四つの問題について発展的に触れることができる。

一、隠喩は、「文彩（あや）」よりもずっと大きなものであり、それは必然的に意味論的な革新を必要とする。つまり、隠喩によって新しい意味が言述に与えられるのであって、要するに、隠喩は言述の創造的な力を証明するものなのである。

二、しかしながら隠喩は、言述における意味の創造だけに限定されるのではなく、そこには外示（Denotation）すなわち指示連関の次元が含まれている。隠喩は意味を創造するがゆえに、現実を模写する力、すなわち言語に世界経験の新しい領域を開示する力をもっている。この意味で隠喩的な真理という言い方もできるのである。

三、隠喩は、聖書的言語においてはたんに修辞学的文彩として働いているのでなく、あるときは意味の創造的な力、またあるときは人間存在についての新しい記述という二重の能力として働いている。（中略）ここで問題になっているのは、人間存在の新しい可能性を開示する聖書的言語の機能である。
四、わたしは隠喩のこの可能性を、そのたんなる修辞的な機能に対立する意味で詩的な機能と呼ぶことにする。つまり重要なのは、言述のなかで働く隠喩の意味創造的な能力、言いかえれば、表現されることを要求している経験と現実の領域を言語へともたらす能力である。

（リクール前掲論文、『隠喩論』八三ページ）

これはリクールが結論的に述べたかったことであり、隠喩研究の修辞学的解釈史を批判的に検討し、現代的視点から隠喩をめぐる解釈を全面的に一変させる論述を加えた結果の先取りである。まとめると、(一) 隠喩は意味論的に創造的な力をもつ、(二) 隠喩は世界経験に新しい模写的な力能を発揮する、(三) 隠喩は人間存在の新しい可能性を開示する、(四) 隠喩はたんなる修辞的機能を超えた詩的機能をもち、表現を要請している経験と現実の領域を言語にもたらす、といったことになろうか。

人物を〈行動する者として〉、いっさいの事物を〈生動するものとして〉表現することが、まさに隠喩的言述の存在論的機能となり得るだろう。隠喩的言述において、眠っている実存の潜在性が花開くように現われ、行動の潜在能力が現実として現われるのである。生きた表現とは、生きた実存を語るものである。

（『生きた隠喩』五八ページ）

ここでリクールが述べていることは〈生きた隠喩〉がまさに日常生活のなかでことばがいきいきと躍動する姿である。リクールが解釈学的立場から隠喩の新たな可能性を肯定的に見出し、さらには詩的言語にたいする希望を提示していることは、詩人にとって大いなる励ましになるのである。

終章　言語隠喩論の原点としてのデリダ隠喩論の再検討

世界は残酷で／きょうもあかるい
（松岡政則「洛夫（ルオ・フ）『口福台灣食堂紀行』三二頁）

現実をそのまま書けるという幻想

詩の言語的創造をめぐることばの探究もそろそろひとまずの着地点をめざすところまできたようである。個人詩誌『走都』と未來社のPR誌『季刊 未来』において並行して書きすすめてきたこの論考にたいして多くのひとから意見や感想をいただいておおいに励まされるとともに参考にもなっており、そのヒントの一部はこの論考のなかでもなんらかのかたちで反映させてもらっている。とはいえ、どうも読んでくれているらしいのだが、残念ながらちゃんと理解してくれているとは思えない文章に出くわすことがあって、がっかりさせられることもすくなくない。とりわけ詩人たちの反応にそういったものがあることはいちおうは予想していた通りであるが、これはふだん原理的な思考というものに不慣れでありながら自分の思い込みからだけは容易に抜け出せない種類のひとたちが多いことを示している。なかには西欧哲学をもって日本語の詩の問題なんか解けない、などと自身の不勉強を棚に上げて高言してくるひともいて、あきれるしかない。ことばの問題の普遍性を問うかぎり、洋の東西を問わず、きちんと言語について考えている哲学的思索の富をはじめから排斥するのはもったいないことであり、みずからの了見の狭さを示しているにすぎない。カントはこういう知の頽廃を〈怠惰な理性〉と呼んだのだ。もっとも、わざわざこんなことを言ってきて墓穴を掘らないまでも、そういうふうにアタマから決めてかかっているひともかなりいるにはちがいないのだが。

残念ながら、ここまでひどくはない例のパターンのひとつを挙げておかなければならない。たとえば金井雄二はすぐれた抒情詩の書き手でわたしも評価している中堅詩人だが、最近は菅原克己についていろいろな場所で鑑賞文のようなものを書いている。菅原は一部に評価も高い民衆派詩人であり、金井はタイプとして自分に近いところがあるからこの詩人を評価するのはわからないわけではない。しかしその理解のしかたがあまりにベタで、詩で書かれていることをそのままなぞっているだけになっていて、詩の紹介・感想ならそれでもいいかもしれないが、テクストとの批評的な距離がとれていない。自分と等身大の菅原克己がそこに現前しているだけなのである。たとえば菅原の詩を好きな理由として《レトリックに頼らず、信じている言葉で、つまり、背伸びをせずに自分の言葉できちんと正確に描写をしている》《正直さゆえ、信頼できる詩》(「詩の核となるもの〔上〕」、『現代詩手帖』二〇二一年四月号)などと言挙げしている。また《詩はもっと、明確に書いたほうがよいのではないだろうか》(同前)などとも書かれている。優れた詩がすべてそうであるように、詩とは唯一無二の存在として本質的に明晰なものであって、明確でないとすれば、その詩がその程度のものであるからにすぎない。批評意識のこのあまりの素朴さには驚きを通り越して微笑みたくなるほどだが、問題はこのナイーヴさを金井がまったく自覚していないことであり、自身の個人詩誌や同人詩誌でも同様のことを繰り返している。ここで「自分の言葉」とか「正確な描写」とか「正直さ」とか「明確に書く」とはいったいどういうことなのか。詩を書くことにおいて、みずからのなかにすでに確固として存在する「自分の言葉」とか、なにか明確な実体にたいする「正確な描写」とかが書くこと以前に自明のものとして存在しているようなことは、絶対にない。それに近いものがあるとすれば散文においてだが、どうしてそんなあらかじめわかっていることを詩の形式で書くことが必要なのか。それはせいぜい詩のかたちをとった散文でしかないだろう。さきの『現代詩手帖』の文章ではこんな文言も出てくる。

戦後詩の傾向をみると、複雑多様化した現代を、いかに根本から表出させようかと考え続けた結果、詩の技術は大きく進歩してきた。いろいろなイメージを駆り立てるために、複雑な構成を考え、新しい形式、表現方法が表れてきた。その最たるものが「比喩」であろう。特に暗喩と呼ばれるものである。暗喩は本来持っている言葉の意味とはまた別の意味で使われ、それが他の詩句の相互作用によっていかなる読み方にも変化し、奥行きの深い

言葉のイメージを作りだすことに成功した。　（同前）

まったく困ったものである。戦後詩理解の平板さもさることながら、これまでもこの「言語隠喩論」でさんざん述べてきた隠喩の問題がまったく素通りされており、拙著『単独者鮎川信夫』（思潮社、二〇一九年）でも鮎川信夫の隠喩理解のレベルの低さとして言及した隠喩の置換理論ないし転移理論の単純な理解がいまだにくりかえされている。わたしが主張しているのはそんな初歩的隠喩理解ではなく、言語の隠喩的本質が、とりわけなにも制約のない詩という形式において、書くことをつうじて初めて立ち現われる言語の世界性の実現という審級において見いだされるということであり、詩そのものが必然的に全体でひとつの隠喩であることである。書くまえに「正確に描写」しうる実体などどこにもないし、「正直な自分のことば」などというものもありえない。現実を正直に見たとおりそのまま書けばよい、などと小学校の先生が子どもに教えるようなところに詩の次元はないということである。そんな「現実」などまったくの幻想にすぎない。金井の愛すべき性格を知っているだけに心苦しいが、やはりこのレベルで隠喩への無理解が反復されるのは困るので、あえて批判するのである。金井にかぎらず、詩人の多くがなにかと「隠喩（暗喩）を使う」という発言を不用意にしているのをみると、結局、隠喩の置換理論ないし転移理論への理解の固着を痛感せざるをえない。病根は断ち切らねばならない。ある詩人からの情報によれば、詩に隠喩はいらないとまで言う「詩人」もいるそうだから、この積年のおめでたい思い込みを打ち破ることは容易ではない。問題意識をもつこともない石頭にはなにを言ってもはじまらないからだ。

詩のように詩論を書くこと

こうしてみると、「言語隠喩論」は詩を書くという営為のなかでことばが発生しようとするその機微に迫ろうとするものであって、こうした精神のはたらきはことばの自己創出的な運動を内的に経験した詩人においてもっとも理解されるべきであることがわかる。詩を書くことは、ことばが先験的な意味－価値をもつ以前のことばの裸形性（マラルメの〈花〉！）の自己運動にほかならない。こうした事態をカントの同時代人J・G・ハーマンは《「言葉」の発生論的先行性》（「理性の純粋主義へのメタ批判《メタクリティーク》」、『北方の博士・ハーマン著作選　上』二一〇ページ）と呼び、これを《証明する演繹は要らないことになる。考える能力のすべてが言葉に基づくのだ》（同前）からとするのである。詩人はことばを発動させることによって詩のかたちで初めて考えるのであって、その意味－価値という先験性にもとづいて書くのではない。詩を書くことにおいてはことばがどのような意味－価値をもつのかは書いてみるまえにはわからないし、わからなくていい。あらかじめ書くことがわかっていてことばを隠喩として使うということはすでに把握されたなにものかの置き換えないし転移として考えるからであって、そこには詩としての新しい発見はなにもないことにならざるをえない。詩人はことばの先端において〈考える〉のである。逆に言えば、「隠喩（暗喩）を使う」という発想のなかには隠喩の〈発生論的先行性〉などは存在せず、おのずからなにか別の意味－価値の置換ないし転移というレベルでしかことばを考えていないことを明らかに示しているのである。詩としての決定的な価値の発見に結びつくようなことばの創造性はあらかじめ封じられていることになる。そうした詩はなんらかの先行的な意味－価値の代行的表現にすぎず、詩的にはなんの発見もない、たんにわかりやすいだけか、へたをすれば既存のイデオロギーないし一般的な臆見（ドクサ）を詩のかたちをとって言説化したものにすぎなくなる。よく言われるような、散文を適当に改行したものがほんとうの詩でないのは、そこにはあらかじめ仕込まれた平凡な流通的意味－価値しか存在しないからである。「隠喩（暗喩）を使う」という発想の根底には詩の安上がりな到達点が最初から織り込まれているのである。

　さきにふれたハーマンの十四歳下の盟友であった哲学者J・G・ヘルダーはおそらくハーマンを踏まえてこうした言語の隠喩的本質について言語起源論の立場から重要な考察をくわえている。

　理性を通しての言語の進展や言語を通しての理性の進展は、すでに言語が数歩でも歩みを進めたとき、そのなかに芸術の、たとえば詩の断片がいくらかでも存在するとき、文字が発明されたとき、文書の種類が次々と形成されていくとき、きわめて明らかになる。そこで進歩があり、新しいことばが発明されて、新しい適切な形式が進展できるところには、人間の魂の痕跡がある。そこに詩を通して、韻律や、きわめて強烈なことばや色彩の選択、比喩の秩序や躍動が生まれる。

（『言語起源論』一一六ページ）

いくぶんドイツ・ロマン派的なタームを気にしなければ、この言説が言語の進歩を詩における新しい韻律や未知なる比喩などの躍動のなかに見いだそうとしていることが読み取れるだろう。ここにはルソーの『人間不平等起源論』（一七五五年）にたいする批判をふまえ、さらにはルソーとも親交のあったコンディヤックの『人間認識起源論』（一七四六年）を批判するかたちで展開された、理性的な言語起源論の帰結が見られる。ヘルダーのこの論文は一七七一年、著者二七歳のときにベルリンのプロイセン王立学術アカデミーから出された懸賞論文の課題に応じたものであって、この論文の後半、第二部「人間は自然な能力に委ねられてみずから言語を発明せざるをえなかったのか？　または　どのような状況において最も適切にそこに至ることができたのか？」という課題にこたえてヘルダーは四つの自然法則を挙げているが、その第一自然法則として定式化されているのが《人間は自由に思考する活動的な存在であり、その諸力は漸進的に作用しつづける。それゆえ、人間は言語の被造物である！》（『言語起源論』一二〇ページ、原文すべて強調）というものである。ここにもあるように、人間が《自由に思考する活動的な存在》であるとすれば、言語とはまさにその自由をもっとも強力に体現するものであり、詩を書く自由こそはその最高の営為と言ってよい。人間は《力も生気もきわめてみずみずしい状態で、最初の瞬間から成長するために、最高の、最も身近な素質をそなえてやって来た》のであり、《その内面的集中の最初の瞬間には、もちろん創造する摂理が司っていたにちがいない》のであって、《この瞬間における奇蹟のごとき出来事を説明するのは、哲学の仕事ではない》から《哲学は人間の創造について説明できない》(同前一二二ページ)とまで言うのである。こうした哲学者ヘルダーの揚言こそ、詩の本質的創造がなににもまして隠喩としての言語の生産性の核心であることを告げている。

わたしがこの「言語隠喩論」をこうした鼓舞によって書き進めようとするとき、哲学者のさまざまな隠喩をめぐる言説に依拠してみても一定の位相から先へ進めることがむずかしいのは、人間の言語的創造の問題は最終的には創造的な詩を書くことによってしか果たしえないという根源的背理をかかえているからである。一部の創造的な哲学言説もそうであるが、問題の本質はことばを既成の概念、固定観念から自由に掘り進めること(ここでもマラルメだ!)によってしか明らかにできないとすれば、この「言語隠喩論」も先験的なにものにももとづかずに、まさに詩を書くようにことばの手触りだけをたよりに書くことしか可能でなかったことがいまになってみればわかってくる。詩論を詩のように書くこと! だから同じ問題をぐるぐるめぐっているように思われるのも、たとえばカフカの『審判』や『城』のように、問題は記述を進めることによってしか展開しないし見えてもこないからで、その解決の根源的な困難しか見えてこないような仕儀にいたることも別に不思議ではない。詩をめぐる言説が結局のところ詩と同じ構造をもってしまうかもしれないことは懼れるに足らないのである。

> 散文と詩。——散文の大家がほとんどつねに詩人でもあった（中略）ということに、注意されるがいい！　まったくのところ、ひとが立派な散文を書くのは詩に直面したときだけだ！　というのも散文は、詩との絶え間ない礼儀正しい戦いだからである。散文のあらゆる魅力は、それがたえず詩を避け詩に抗するというところにある。
> （『ニーチェ全集第八巻　悦ばしき知』一四七ページ）

このニーチェの言うとおりだとすれば——そしてそうにちがいない——、またヴィーコが指摘するように文法家に共通の二つの誤謬——《散文家の語りが本来的なものであって、詩人の語りは非本来的なものであるとする誤謬と、散文による語りがはじめにあって、そのあとに韻文の語りが登場したとする誤謬》を認めその逆が真であることを認めるならば、この「言語隠喩論」も詩のことばが隠喩的言語として未知の創造的世界を指し示すとき、その同行者として、その通訳ないし翻訳者としてしか存在理由をもたないかもしれないが、しかしだからこそ、この「言語隠喩論」はこれまで誰もやろうとしてこなかった試みとなるのであり、詩を書くように書かれねばならないのである。

デリダの根源的隠喩論

さて、この「言語隠喩論」の探究をひと区切りつけるにあたって、そもそもこの論考のきっかけのひとつとなったジャック・デリダの隠喩にかんする言説をあらためて検討しておかなければならない。デリダの『グラマトロジーについて』〔一九六七年、邦訳名『根源の彼方に——グラマトロジーについて』〕こそはデリダのエクリチュール論の出発点でもあり、その後の言語哲学ほかの領域にたいしても画期的な仕事であることは論を俟たないが、そこで論じられている隠喩についての考えもひとつの重要なテーマであり、のちの論文「白い神話——哲学テクストのなかの隠喩」につながる、現代における隠喩論の大きな問題領域をかたちづくっている。すくなくともわたしの「言語隠喩論」にとって避けて通ることのできない問題設定である。

　デリダはこの本の第一部「文字以前のエクリチュール」の第一章「書物の終りとエクリチュールの始まり」のなかの「シニフィアンと真理」という節のなかでまずはこう述べる。

> これらの書物〔自然についての書物や中世における神（の／についての）エクリチュールを指す〕において隠喩としてはたらくすべてはロゴスの特権を確定し、そのさいにエクリチュールに与えられた〈固有の〉意味を基礎づける。つまりシニフィアン〔意味するもの〕そのものを永遠の真理——現前するロゴスの近くで永遠に思惟され語られる真理——を意味するひとつのシニフィアン

> として意味する記号となる。そうなると注意されなければならない矛盾とは以下のようなことになる。自然で普遍的なエクリチュール、理解可能で非時間的なエクリチュールは隠喩によってこのように名づけられる。感知可能で有限な等々のエクリチュールは固有な意味でのエクリチュールとして指定される。そのさいエクリチュールは文化の、技術の、人工物の側にあるものと考えられる。すなわちたまたま受肉化された存在あるいは有限な生き物という人間的手段の狡知と考えられる。もちろんこの隠喩は謎めいたままであり、はじめての隠喩としてのエクリチュールの〈固有の〉意味に送り返される。この〈固有の〉意味はこの言説の支え手によってはまだ思惟されていないものである。したがって問題は固有の意味と比喩化された意味を逆転させることではなく、エクリチュールの〈固有の〉意味を隠喩性（métaphoricité）そのものとして規定することであろう。
> (*De la grammatologie*, p. 27)☆1

いきなりとっつきの悪い引用文で恐縮だが、ここで重要なのは最初の書記行為〈エクリチュール〉の〈固有の〉意味が〈隠喩性〉として把握されていることである。通常の言語学の理解では、日常的に話されることばとしての〈パロール parole〉があって、しかるのちにそれらを定着させるものとしての文字言語があるとされ、書くことは二次的なものとみなされる。ソシュールの構造言語学が「ラングの言語学」とされ、パロールと対置される〈ラング langue〉（言語、国語）をその対象としているのはそういう伝統的理解を裏返すことによってひとつの体系と

☆1 邦訳に『根源の彼方に――グラマトロジーについて（上・下）』があり参考にはさせてもらうが、拙訳とする。なお、〈エクリチュール〉とはデリダにおいては〈書くこと〉〈書記行為〉という意味あいの重要な概念であるのでここではカタカナ表記のままにしておくが、日本語においてはあまりに安易に、そしてフランス現代思想系特有の暗黙の合意／符牒として使われることが多いので、わたしの通常の文においてはこのことばは原則的に使用しないことにしている。

してのラングを対象化する言語学の使命を見いだしたからだが、デリダはさらにその関係構造を〈エクリチュール〉という概念を取り出すことによって話しことばたるパロールにたいするさらなる先行性、根源性を確立させようとするのである。〈グラマトロジー〉とはそのなかでより初発的な〈書字行為〉という意味をもち、そこからエクリチュール論を組み立てていくのだが、そのさいに〈書くこと〉としてのエクリチュールにことばのより根源的な価値、すなわちことばが書かれること、ことばを書くことにおいてことばの始原性としての隠喩性が見いだされることになる。このわたしの解釈が正しいとすれば、エクリチュールという行為はたんなる筆記行為ではなく、未知の世界へむけてのことばによる船出、ことばの突出、ことばの可能性の発見の運動ということになる。エクリチュールが隠喩的であるという性質をもつということは、そもそもことばが隠喩的であるからであり、その隠喩性をふまえた書記行為こそが言語の威力を発揮させることであって、それこそが端的に哲学の行為であり詩の実践であるということになる。ことばだけで哲学を書き思考をめぐらすこと、詩を書くという営為（エクリチュール）がおのずからことばの隠喩性を実現していくという原理をこのデリダの言説は提示した。デリダの『グラマトロジーについて』は隠喩論として書かれたものではないが、書字行為（グラマトロジー）とエクリチュールという、ことばにむかう物質的・志向的な原理的考察が必然的に隠喩論を呼び出すという構造をもっていたのである。

そしてここからルソーの『言語起源論』を媒介としてデリダは第二部「自然、文化、エクリチュール」の第四章「代補から源泉へ――エクリチュールの理論」の「根源的な隠喩」の節へと向かうことになる。

デリダの『グラマトロジーについて』については、それが三七歳という若いときの著作であったこともあるのか、世の多くのデリダ論のなかで中心的に論じられることがすくないのではないか、とわたしはかねがね思ってきた。専門の研究者でもないわたしがこんなことを言うのはいささかおこがましいが、哲学研究のなかで言語の本質としてのこの隠喩性の重要さ、その言語的根源性にたいして本当には興味をもたれていないのではないかと危惧している。それはともかく、わたしにはこの言語の創造的隠喩性という概念、そして言語を思索と創造の原理的推進力とするはずの哲学者と詩人は連携してこの問題提起に応答する義務があると考えてきた。すくなくともわたしはこのヒントを日本の近現代詩のなかで探索していきたいと考えている。その実践の出発点がじつはこの「言語隠喩論」のつもりなのだが、前述したとおり、現代詩人たちやそれを支えるはずの編集者たちにはなかなか届かない。なにをいまさら隠喩論だとまでいう編集者もいるぐらいだから、この問題意識の低さにわたしはなかば現代詩の世界にはサジを投げ、より広い思索者との問題意識の共有をめざすべきだと考えているほどである。

それはともかく、デリダの『グラマトロジーについて』はわたしにとってルソーの『言語起源論』の発見にも示唆を与えてくれたという意味でも重要である。わたしが本論考のはじめ（序章「隠喩の発生」参照）においてルソーの『言語起源論』に言及したのはそういう経緯もあったたからであり、わたしのルソー解釈が気鋭のデリダ研究者からみて疑念を呈される☆2ことがあったとしても、わたしに異議はない。デリダがルソーをどう批判しているのかには関係なく、わたしの「言語隠喩論」にとってそれがきわめて示唆的であったからである。たとえばルソーは書いている。

> われわれに知られているもっとも古い言語であるオリエントの諸言語の精髄は、その形成において想像される学術的な歩みとは相いれない。それらの言語は、方法的で理論的なものがなにもない。その諸言語は、生き生きとしていて比喩に富んでいる。最初の人間の言語を幾何学者の言語のようなものとする人がいるが、詩人の言語だったことがわかる。／それはそうであったにちがいない。人はまず考えたのではなく、まず感じたのだ。
> （ルソー『言語起源論――旋律と音楽的模倣について』増田真訳、一二三ページ）

これはすでにヴィーコ的であり、その影響を十分に感じさせるものであるが、詩を書く立場からすれば、そして言語の隠喩的本質に依拠して世界に素手で立ち向かおうとする詩人という存在の本源的な言語感覚からすれば、ひとがどう言おうとも、わたしはこのルソーのことば感覚というものを信じないわけにはいかない。たとえ時代的に後続する世代のヘルダーがそのことを批判しても、である。ヘルダーは同じ言語の起源をめぐる考察だったこともあってか、前

☆2　郷原佳以「[デリダの文学的想像力8] 摩滅と類比のエコノミー――『白い神話』読解3」、『みすず』二〇二〇年四月号。その注において郷原は《ルソーの説を支持する者としてデリダを持ち出す例が絶えない》として拙論「世界という隠喩」、第二次『走都』4号、二〇二〇年二月（本書第一章）、を例に挙げている。

述の『言語起源論』においてルソーをこんなふうに批判している。

> しかし、わたしが驚きの念を禁じえないのは、哲学者たちが、つまり明確な概念を探し求めるはずのひとびとが、この感性の叫びから人間の言語の起源を説明するという考えに及んだことだ。そもそも人間の言語は明らかにまったく別のものではないだろうか？
>
> （ヘルダー『言語起源論』二七―二八ページ）

> 彼〔ルソー〕の前任者であるコンディヤックと同じく、彼も自然の叫びから始め、そこから人間の言語が生じると言う。そこから言語がどのように生じたのかなど、わたしにはさっぱりわからないし、ルソーほどの明敏な者が言語をたとえ一瞬でもそこから生じさせえたということを訝しく思う。
>
> （同前三一ページ）

たしかにヘルダーの言うとおり、ルソーの情念的言語発生論は詩的であって哲学的ではないかもしれない。この批判には言語の起源を哲学的に探ろうとしたヘルダーの学問的野心が反映しているだろうし、ここでヘルダーはより哲学的に論じようとしているのだからルソーの詩的な思いつきにたいして揶揄する気持ちもあったのだろう。ただし、ヘルダーはルソーの『言語起源論』を読んでいたはずもない。ルソーの『言語起源論』は一七六三年ごろに書かれたらしいが出版は死後（ルソーの死は一七七八年）であり、ヘルダーの懸賞論文はその八年後（一七七一年）にすぎないからである。ヘルダーが批判的に直接参照したのは『言語起源論』ではなく、一七五五年に書かれた『人間不平等起源論』のほうだからであって、ルソーは言語の起源を直接の対象にしてはいない。事実、『言語起源論』のほうではヘルダーとは異なる問題意識で言語の学問的発生論を展開しているのである。ともかく、こうした細かい学術的研究はいまのわたしにとってはさして重要ではない。そんなことよりヘルダーのフランス人嫌いのほうがよほどおもしろいのであって、《自国語以外ほとんど学ばず、他言語を学ぶときにはかならず原形をとどめないほど歪める》（同前一四九ページ）というフランス人を当時のドイツ人らしくヘルダーは罵っている。その先にルソーの影を見ていないとは言えない。

まあ、こうした哲学的ヨタ話はともかく、デリダは啓蒙主義の時代に言語の起源をめぐる論が起ち上がってくる点を見逃さなかった。ルソーの『言語起源論』は長いあいだその執筆年代が確定していなかったらしいのだが、デリダの『グラマトロジーについて』において検討された結果、《この作品は初期の未熟な作品でもなく、公刊をあきらめた失敗作でもないことが定説になった》ということを増田真は訳者解説で書いている（ルソー『言語起源論』一三六ページ）。こうした前提をふまえてデリダは後半の「根源的な隠喩」の節においてルソーの言語起源論の評価をおこなっていく。

さて、言語というもの（langage）の正しさと正確さはどこにあるのか。エクリチュールという住まいか。結局は固有性においてなのだ。正しく正確な言語というもの（langage）は絶対的に一義的で固有なものとならなければならないだろうし、つまり非‐隠喩的になろう。言語（langue）は、それがそれ自体のなかで比喩（figure）を制御し消し去るかぎりに応じて前進＝退歩する。（原文改行）すなわちその根源へ。というのは言語というもの（langage）は根源的に隠喩的だからである。（Derrida, op. cit., p. 382）

ここで注意しておく必要があるのは、デリダがここで言語をランガージュとラングに分けて書いていることである。周知のようにソシュール言語学においてはランガージュとラングは峻別される。ランガージュは対象外とされ、ラングが各国語というような実働している言語として言語学の対象になる。そしてこのラングはパロールと対になるものであるが、ランガージュのほうは一種の抽象体として言語学の対象にはならないとされている。そういった微妙な使い分けをここでデリダがしていることは注意されてよい。だからラングは実際の言語使用のレベルにおいて比喩を差配することによって〈前進＝退歩する〉のであるが、その背景におかれているランガージュはそういったことばの使用現場の問題を超越しているのである。ランガージュとはその意味でベンヤミン的な〈純粋言語〉に位相的に近いものがあるかもしれない。とにかくこのあたりの文脈はややわかりにくいところがあるが、デリダにおいてランガージュという言語そのものが〈根源的に隠喩的である〉という断言命題が提出されているのである。まえにも引用したことがあるが、いま引いた部分につづくルソーの《最初の表現は比喩的でなければならなかった》（『言語起源論』竹内成明訳、一四五ページ）☆3につづけてデリダは《叙事詩であれ抒情詩であれ、物語であれ歌であれ、古代の音声言語《パロール》は必然的に詩的である。文学の最初の形態である詩は隠喩的本質をもつ》(Derrida, op. cit., p. 383) と述べている。そしてこのすこしあとでデリダはルソーをあらためて評価するのである。

> 《最初の言語は比喩的でなければならなかった》――この命題はルソーに固有のものではなく、ルソーはヴィーコのうちにその命題に出会っていたとはいえ、また彼はコンディヤックのうちに確かにそれを読んでいたとはいえ、さらにまたウォーバートンにおいても確かに獲得されていたとはいえ、――われわれはここに『言語起源論』の独創性を強調しなければならない。 (Ibid., p. 384)

このようにルソーを評価するデリダとともにわたしもルソーのこの言語思想を評価したいのである。

☆3　竹内成明訳、増田真訳のいずれも「最初の言語」は「最初の表現」となっている。原文は未確認。

「白い神話」という難題

さて、こうした前提を積み上げたところでようやくデリダの、それとして書かれた唯一と言ってもよい隠喩論「白い神話――哲学テクストのなかの隠喩」にたどりつく。『グラマトロジーについて』でエクリチュール論の本質規定にあたってことのいきがかり上その根源性に触れた結果、言語の起源的隠喩性を抱懐してしまったデリダがそれから四年後に雑誌『ポエティックPoétique』に発表し、翌年刊行された『哲学の余白』☆4のなかの主要な一篇として収録されたこの論文は、しかし、そのサブタイトルに示されているように、「哲学テクストのなかの隠喩」に限定されたものとなっていて、『グラマトロジーについて』で自由に展開されたような隠喩論ではない。そのぶんデリダにおいては十分に熟成させた隠喩論が見られると言えなくはないが、それだけ後退しているとも言える。その徴候として挙げていいのは『グラマトロジーについて』の「根源的な隠喩」の節ではルソーが論題の中心であってアリストテレスへの言及がないのに、「白い神話」では隠喩の〈摩滅〉がアナトール・フランスの『エピクロスの園』(一九〇〇年)の対話篇「アリストとポリフィル――形而上学的言葉づかい」が素材として扱われながら、アリストテレスのミメーシス論にもとづいた隠喩(比喩)解釈が(とくに後半で)参照されていることである。

しかしそのまえに何が問題になっているのか。

☆4　Jacques Derrida, *Marges de la philosophie*. 邦訳に『哲学の余白(上・下)』があり、ここでも参照させてもらったが、以下すべて拙訳にさせてもらう。

原初の意味、つねに感覚的で物質的な始原の形象（中略）は正確にはまだ隠喩ではない。それは透明で固有の意味と等しい一種の形象＝比喩である。それは哲学的言説がそれを流通回路に入れ込むときに隠喩となる。ひとはそのとき瞬時に最初の意味と最初の転移を忘れる。隠喩はもはや注目されずそれは固有の意味とされる。二重の消失。哲学はみずからを運び去るあの隠喩化作用（métaphorisation）の過程となるだろう。☆5（ibid., p. 251）

原初的な一種の形象＝比喩（figure）が哲学的コンテクストのなかではいつのまにか隠喩と化す。元の意味も転移した意味も消失し、転移された意味が固有の意味と化すことになるこの隠喩化作用の過程に入るというわけである。しかしこの隠喩化作用とは本当だろうか。同じような現象は詩の制作過程でも生じているのではなかろうか。そして第一の意味と第二の意味の二重の消失がどうして起こらなければならないのか。そこが十分に納得できないが、デリダは「白い神話」の終りのほうで《形而上学が従わせられるのはもろもろの隠喩にである》としたうえで、次のように言う。

ところで隠喩的なものが統辞法を逃れることがないのは、それがはじめから複数の戯れであるからこそである。またそれゆえに、隠喩的なものは哲学においてもまた、ひとつのテ

☆5　ここで省略した部分には『エピクロスの園』からの引用がある。

クストの原因ともなる。そのテクストは歴史のなかでその意味（シニフィエ概念あるいは隠喩的支持物、すなわちテーゼ）に汲み尽くされず、見えるものであれ見えないものであれその現前のなかでその主題（存在の意味と真理）にも汲み尽くされることはない。しかし隠喩的なものがみずからを運び去り、消え去ることでしかみずからであるしかないものがきりもなく自身の破壊をおこなうのは、隠喩的なものが統辞法を還元してしまうことがなく、逆にそこでその隔たりを作動させるがゆえなのである。

(ibid., p. 320)

要するに、哲学における隠喩とは哲学のテクストを産出することができるのだが、隠喩としてはみずから消失し、その消失においてこそ隠喩としてひそかに復元するというじつに厄介なシロモノなのだ、とデリダは主張する。このあたりの事情をデリダ研究者の郷原佳以の解読を見てみよう。

隠喩によって感性的な意味が精神的な意味に転移した後に、慣用によって隠喩性が失われ、精神的な意味が非固有な意味から固有な意味に変容する。

（「デリダの文学的想像力7」一般的隠喩論の不可能性へ向けて——『摩滅』の形而上学2」）

この郷原の解釈はもうひとつ納得できない。ひとつの感性的な形象＝比喩が哲学的文脈のなかに据え置かれたとき、意味的変容をきたし、より高度な隠喩すなわち精神的な意味をもつ隠喩に転移するというのはデリダも言っていることであり、ここはまだいいのだが、《慣用によって隠喩性が失われ》、最初の意味＝形象が《非固有な意味から固有な意味に変容する》のはそれが時間とともに死んだ隠喩に化すということなのか。それならば隠喩的表現一般の摩滅過程とどこがちがうのか。前章でニーチェの《使い古されて感覚的に力がなくなってしまったような隠喩》《肖像が消えてしまってもはや貨幣としてでなくいまや金属とみなされるようになってしまったところの貨幣》ということばを引いたが、これはデリダが「白い神話」で論及しているアナトール・フランスの随想集『エピクロスの園』のなかの対話篇「アリストとポリフィル」のなかでポリフィルが言うことば――《形而上学者たちは、なにかひとつの自分独自のことばを使うときには、小刀や鋏の代わりにメダルや貨幣を廻転砥石にかけて、その刻銘や、鋳造年号や、肖像を消してしまう研師に似ている》（『エピクロスの園』一五七ページ）とよく似ている。このポリフィルの発言はニーチェをふまえたものとは必ずしも言えないだろうが、隠喩の摩滅の隠喩としてこのメダル、貨幣の喩えが使われているのはおもしろい。それにしても、哲学のコンテクストに置かれた一種の形象＝比喩（ここではメダル、貨幣と解釈してもよい）がそのこと自体ですぐ隠喩化作用の過程に入って固有の意味に変容するというわけではないはずで、当面しばらくはその宙吊り状態あるいは二重の現前の状態になっているのではないか。デリダも郷原もその点ははっきりさせていない。そもそも隠喩とは、I・A・リチャーズの〈テナー〉（主意＝主旨）と〈ヴィークル〉（媒体＝表現手段）の緊張として、オリジナルの意味をなにほどかとどめながら、新しい意味の拡張と変換へと向かうその行程そのものなのではなかろうか。隠喩は摩滅してもなおその隠喩化作用以前の原形――メダル、貨幣――は残存し、その摩滅した姿をしぶとくさらけだしつづけるのではあるまいか。郷原は『みすず』の連載「デリダの文学的想像力」のうち四回を「白い神話」の緻密な読解にあてており、その蘊蓄の深さには端倪すべからざるものがあるので、わたしの「言語隠喩論」の立場からする素朴な疑問にはいずれ応えてもらいたいと思う。

さて、それでは〈白い神話〉とはそもそも何かということを問わなければならない。これも郷原によれば《従来の多くの「白い神話」読解は、デリダの議論の目的を、もっぱら哲学的言説における「無際限の隠喩の自己包含」、あるいは「あらゆる隠喩の可能性の条件」としての「隠喩性」の追求として捉えようとしている》（同前）そうである。またこの論文のサブタイトル「哲学テクストのなかの隠喩」についても《この副題は一見すると、まるで、謎めいた表題とは対照的に論文の主題を直截に表しているかのようである。ところがこの表題から、「プラトンのパルマケイアー」のような、細部の隠喩分析によりテクスト全体を一変させるような読解を期待したら読者は裏切られることになる。「白い神話」は「哲学テクストのなかの隠喩」については語っていない》（「［デリダの文学的想像力6］『白い神話』という神話――『摩滅』の形而上学1」）と確認している。たしかにこの論文では、〈摩滅〉（uzure）という概念が哲学テクストのなかの隠喩の特質として取り上げられている。デリダははじめのほうで《摩滅は哲学的隠喩の歴史そのものとその構造を構成するだろう》(Derrida, op. cit., p. 249) と明言している。もちろんこの〈摩滅〉自体が哲学的隠喩の隠喩なのだ。とにかくこうして見てくると、混沌とするばかりだが、あらためて〈白い神話〉とは何かをデリダに即して確認しておこう。《形而上学――西欧文化を収集しまた反映する白い神話》(ibid., p. 254) としたあとで、デリダは説明する。

白い神話――形而上学は、みずからを産み出した寓話的な舞台をみずからのうちで消してしまったのだが、にもかかわらずその寓話的な舞台は活動的で活発なまま残存し、パランプセスト（羊皮紙）のなかに白いインクで記載され、不可視で覆いをされたデッサンとして残りつづける。(ibid.)

ここでパランプセストとは何度でも書いたり消したりできる羊などの皮を使った古い紙の一種であるが、このパランプセスト自体が隠喩であり、哲学（形而上学）のなかの隠喩が読めたり読めなくなったりすること自体の隠喩、いわば隠喩の隠喩（バシュラール）になっている。この哲学的隠喩の問題がわたしの「言語隠喩論」とどこでどう膚接していくことができるのか、どうもこの難題はあらためて論じ直す機会を設けなければならないようである。

おわりに

デリダの隠喩論についてなんとかそれなりの見通しをつけたところで、どうやらこの「言語隠喩論」もひとまず収束させることができそうである。最初に「隠喩の発生」といった隠喩起源論のようなものを書くことから論を展開してきたが、こうして一ラウンドをまわり終えてみると、この原理的考察は一方でさらなる考察を要請するだろうという感触をもつと同時に、ここで得られた詩の言語の原理が日本の近現代詩史においていかなる作動を先駆的あるいは実存的になされていたのか、をそれぞれの詩人の現場で確かめてみる必要があることが強く意識されることになった。詩人の無意識ないし時代的な制約がバネになって実際の作品が書かれてきたという実情は、もしかしたら「言語隠喩論」で解明された（はずの）原理を繰り込むことによって、従来の研究者的な目線とは異なる詩のテクストの内在的読解を導き出せるのではないか、というひとつの確信というか倨傲のようなものをわたしのなかに生み出しつつある。

そしてじつはこの作業はすでに始動しはじめており、まずは蒲原有明についてのテクスト探索をおこなってみた「蒲原有明のインパクト――詩的隠喩のフィールドワーク」（『孔雀船』98号、二〇二一年七月）というような一文を書いて、確かな手応えを感じているところであり、さまざまな詩のテクストがイメージのなかで沸々と湧き上がってきている。要するにそこで何をしたいのかと言うと、詩が優れた詩として、現代においても将来においても残りつづける可能性があるとすれば、それはその詩を出現させるべく発見された決定的な一行ないしキーワードを詩の内実に即して再発見することであり、それがその詩をドライブさせる原理であることを見いだすことである。詩が価値あるものであるのはこうしたそれぞれの詩の原理となる核を言語隠喩論的に発見することによって達成される。鮎川信夫がかつて言ったように、その詩が世界にひとつ存在することでそれを読むひとの存在が変わるような衝撃を優れた詩の一篇は生み出すことができるのである。詩史のうえですでに定評を得ているような作品でもより根源的な読解がありうるはずだし、そのことによってまた別の世界を切り開くことができるのではないか、そしてもしかしたらそうした創造的読解が得られなかったためにこれまであるべき評価がなされてこなかった隠れた逸品を掘り出すこともできるかもしれない、とわたしの倨傲はうごめきだしている。そしてこれは詩を外在的に扱ってその詩史的価値をラベルのように貼り付けようとする文学研究者の手つきとは決定的に異なる詩の共同性の世界をあらたに建立するぐらいの覚悟が必要である。それはわたしの手に余る仕事だろうが、それがどこまでできるかどうかはわたしが判断することではもはやない。

あとがき

言語（ことば）は日常世界においては、なにものかを指示したり了解したりコミュニケーションをはかるための道具であるとふつうには思われている。数学的・科学的言語のように厳密に規定された用語として成立している場合もあるが、それらはむしろ例外である。人間がそれぞれ自立した考えのもとに生きているかぎり、ひとがことばを発する行為はそのひと独自のものであり、それが多かれ少なかれことばの日常性、因習性に支配されているとしても、実際の個々の局面では約束事の世界から微妙な偏差をもっているはずである。コミュニケーションとはいっても、どういう場所で、どういう間合い（タイミング）で、どういうことばを発するか、日常現場ではさらに語調や声音、アクセントといった差異もけっして小さくない意味をもつ。言語（ことば）とはそもそも本来的にそうした固有性をもっている。それが書かれたことば（言語）ともなると、その目的、関係性、必要性などによってその差異の振幅はより大きくなるだろう。書かれる時間と読まれる時間とのあいだに時差があり、それぞれの環境のちがいもある。ましてや実用性を離れた文学の言語ともなると、そこに一義的なコミュニケーションの必要はなく、もっぱらひとつの完結した世界をめざすことばの運動があるだけ、ということになる。誰の要請を受けたわけでもなく、ことばがことばと相互に連携し、書き手の意思だけにもとづいて自立していくことばの世界を文学とするならば、そのとき、ことばはすでになにものかを代理＝代行する記号でもなく、なにか得体のしれない世界のシンボルでさえもなく、思考の原器のようなものとしてはたらいている。その向かう先は未知なる世界であり、ことばを書くということはその未知なる世界へ向かう経験そのものである。そして詩を書くことはそのもっとも端的な行為であるとわたしは思っている。

わたしも詩を書くことをささやかながらも持続してきた人間として、ことばがなにか具体的なものを再現＝表出させる方向に向けられるというよりも、まだ経験したことのない世界へ向けて手探りでことばを動かしていくという経験のおもしろさとその結果としての手応えをわたしなりに経験している。そのとき、ことばはなにものかの代理＝表象としてではなく、書かれるまえには認識できなかった未知なる世界を指し示す隠喩となる。こうした経験はなかなか実現できるものではなく、詩を書くことがその経験を得るための苦行の様相を呈するのは、ことばというものがもっている歴史的厚みというものがそう簡単にその先を垣間見せてくれることを許さないからにほかならない。とはいえ、それでも詩に向かおうとする執念が詩人を駆動するとすれば、それはなんらかの僥倖が得られたさいの至福感がなにものにも替えがたいものがあるからだ。そのとき、詩は詩人が書いたというよりもことばがみずからを書いたといった感触を残す。そしてことばは未知なる世界の隠喩として、そのことばがそれ以前にはもっていなかった輝きをもつことになる。それはことばというものが本来的にそうした隠喩性をもっているることの証しだからではなかろうか。本書の意図はそうした言語の本質的隠喩性を明らかにすることにある。

本文でも書いているように、『言語隠喩論』という書名はどこか座りが悪いのも事実であるが、わたしの所期の目的を果たすにはそれ以外に適切なタイトルが思い浮かばなかった。また本書では一貫して〈隠喩〉ということばを使っているが、メタファー（メタフォール）の訳語であり、〈暗喩〉という訳語もあるが、語感が悪いのでわたしはいっさい使わない。

また本書は前著『単独者鮎川信夫』（思潮社、二〇一九年）以後の問題意識を継続し発展させたものである。というより、言語さらには修辞学にたいする関心は学生時代以来のもので、とりわけ隠喩に関する問題意識は変わらずに維持してきたからであって、それが詩の実践意識とあらためて連続したときにこの言語隠喩論の骨格が浮上してきたと言ってもいい。

というよりは、前著『単独者鮎川信夫』の刊行にいたるすこしまえぐらいから一時遠のいていた詩と詩論の執筆に本格的に取り組みなおすことにした結果と言うべきかもしれない。四十代半ばから六十代前半にかけてさまざまな制約のなかで詩に向かうための時間をあまりにも奪われていたことに自分でも反省して、この失なわれた時間を取り戻すべく自分の人生設計の方向転換をしたからである。そのためのツールとして個人誌『走都』を復活させ、自分の書きたいものをそこでやりつくすという意志のもとに自分の時間を確保することができるようになった。さいわいその間に詩集『発熱装置』と『単独者鮎川信夫』を上梓することができ、このたびは本書を刊行できるようにもなったことは自分としても上出来だと思っている。遅まきながら機が熟したのだと考えたい。

そういうわけであるから、読んでいただければおわかりいただけるように、本書はあらかじめ十分な構想を練ったうえで書き起こされたものではない。言語が根源的に孕んでしまう隠喩性という観点から詩の言語の原理的考察を試みてみたいというモチーフだけが先行してあり、そのモチーフが喚起するそのつどの視点や切り口からこの考察をどこまで進めていけるかを実践してみたことの積み重ねの結果が本書となったのである。基本的な立場は詩を書く人間として詩を書くことの内側から詩という実践の問題を論じてみることであり、そのさい、どのようなことばや意識の動きが起こっているのかを可能なかぎり明らかにしてみたいということであった。そこにはことばの無意識という問題も深くかかわっており、そういったことばがもつ運動が書き手のなかでどのようにかかわっているのかもあわせて問題にしてみたいと思った。書くことの問題が何度も回帰してくるのは問題の性格上やむをえないと思っている。なんらかの切り口から新しい問題が見えたときにそのつど原点回帰して確かめてみる必要があったからである。

したがって言語の原理的考察をすすめるにあたってはさまざまな哲学的思索の助けを借りな

ければならなかった。もちろん言語学、修辞学、精神分析、文化人類学その他、周辺の学問諸領域を渉猟する必要があり、そしてなによりも日本語で達成された言語的富である近現代詩からのインパクトを存分に活用しながら、それらのことばを吟味し反芻することをつうじてこうした考察をすすめる必要があった。すでに書かれた詩の分析や評価や研究としてではなく詩を書く現場からの実践的問題として言語の問題を考察していくという作業は、おそらくこれまで誰も手がけたことがない企てではないかと自負している。それだけ無謀な不可能な試みかもしれないし、その成果もまだ微々たるものでしかないかもしれない。議論がことさらに難解となってしまったり、自家撞着に陥ってしまったところも見出されるにちがいない。だが、この試みはまだ始まったばかりであり、今後もさらなる展開を示していかなければならないだろう。とりあえずはここでひとます成果を世に問いたいと思う。

最後に本書の初出一覧を記しておきたい。

序章「隠喩の発生」……『季刊　未来』二〇二〇年冬号
第一章「世界という隠喩」……第二次『走都』４号（二〇二〇年二月）
第二章「隠喩の暴力性」……『季刊　未来』二〇二〇年春号
第三章「隠喩の創造力」……『季刊　未来』二〇二〇年夏号

第四章「詩を書くことの主体的選択」……第二次『走都』5号（二〇二〇年八月）
第五章「レトリックから言語の経験へ」……『季刊　未来』二〇二〇年秋号
第六章「詩作とはどういうものか」……『季刊　未来』二〇二一年冬号
第七章「詩という次元」……『季刊　未来』二〇二一年春号
第八章「言語の生命は隠喩にある」……第二次『走都』6号（二〇二一年三月）
終章「言語隠喩論の原点としてのデリダ隠喩論の再検討」……『季刊　未来』二〇二一年夏号

見ていただくとおわかりのように、本書はほとんど一年半ほどのあいだに一気呵成に書き上げられたものである。限られた読者に寄贈していたにもかかわらず、詩人以外のひとからも多くの感想や意見が寄せられ、おおいに励ましになったとともにヒントも与えられたことが本書執筆のための大きな力となった。ここでお名前はいちいち挙げられないが、記して感謝のことばとしたい。

二〇二一年五月二十二日

野沢　啓

■引用文献一覧

アガンベン、ジョルジョ『幼児期と歴史――経験の破壊と歴史の起源』上村忠男訳、岩波書店、二〇〇七年。

アリストテレス『デ・アニマ』、世界の大思想2『アリストテレス』村治能就訳、河出書房、一九六六年。

『詩学』松本仁助・岡道男訳、『アリストテレース「詩学」／ホラーティウス「詩論」』岩波文庫、一九九七年。

『弁論術』戸塚七郎訳、岩波文庫、一九九二年。

『アリストテレス全集12　形而上学』出隆訳、岩波書店、一九六八年。

粟津則雄　対談集『ことばへの凝視』未來社、二〇一三年。

安藤元雄『安藤元雄詩集集成』水声社、二〇一九年。

アンブローズ、アリス　A・アンブローズ編『ウィトゲンシュタイン講義　ケンブリッジ1932-1935年――アリス・アンブローズとマーガレット・マクドナルトのノートより』野矢茂樹訳、講談社学術文庫、二〇一三年。

石原吉郎『石原吉郎全集Ⅰ　全詩集』花神社、一九七九年。

『望郷と海』筑摩書房、一九七二年。

『続・石原吉郎詩集』現代詩文庫、思潮社、一九九四年。

市川浩『〈身《み》〉の構造――身体論を超えて』青土社、一九八四年。

井筒俊彦『意識と本質――精神的東洋を索めて』岩波文庫、一九九一年。

入沢康夫『詩の構造についての覚え書――ぼくの《詩作品入門》』、思潮社、一九七〇年。

ヴィーコ、ジャンバッティスタ『新しい学』上、上村忠男訳、中公文庫、二〇一八年。

『新しい学3』上村忠男訳、法政大学出版局、二〇〇八年。

『新しい学の諸原理』上村忠男訳、京都大学学術出版会、二〇一八年。

ヴィトゲンシュタイン、ルートヴィヒ『反哲学的断章――文化と価値』丘沢静也訳、青土社、一九九九年。

『ウィトゲンシュタイン全集8　哲学探究』藤本隆志訳、大修館書店、一九七六年。

『論理哲学論考』坂井秀寿訳、法政大学出版局、一九六八年。

上村忠男　『ヴィーコ論集成』みすず書房、二〇一七年。

「大いなるバロックの森――ヴィーコ『新しい学』への招待」『新しい学3』訳者解説。

『ヴィーコの懐疑』みすず書房、一九八八年。

内村剛介　『失語と断念　石原吉郎論』思潮社、一九七九年。

大岡信　『蕩児の家系――日本現代詩の歩み』復刻新版、思潮社、二〇〇四年。

大岡信・谷川俊太郎　対話『詩の誕生』岩波文庫、二〇一八年。この本は一九七五年に読売新聞社、二〇〇四年に思潮社から刊行されている。

オースティン、ジョン　『言語と行為』坂本百大訳、大修館書店、一九七八年。

大野新　「初源からみる石原吉郎」、『続・石原吉郎詩集』所収。

オグデン、チャールズ／リチャーズ、アイヴァー・A　『意味の意味』石橋幸太郎訳、新泉社、叢書名著の復興、一九六七年。

カッシーラー、エルンスト　『シンボル形式の哲学（一）第一巻　言語』生松敬三・木田元訳、岩波文庫、一九八九年。

『シンボル形式の哲学（四）第三巻　認識の現象学（下）』木田元訳、岩波文庫、一九九七年。

金井雄二　「詩の核となるもの――菅原克己の詩を読み返す（上）・詩集『手』」、『現代詩手帖』二〇二一年四月号。

カント、イマニュエル　『純粋理性批判』上巻、中巻、篠田英雄訳、岩波文庫、ともに一九六一年。

『判断力批判』上巻、篠田英雄訳、岩波文庫、一九六四年。

――『季刊　びーぐる　詩の海へ』50号、澪標、二〇二一年一月。

――日本聖書協会訳版『旧新訳聖書』一九七三年。

日下部正哉　個人誌『放題』二号、二〇二〇年十一月。

郷原佳以　「〔デリダの文学的想像力6〕『白い神話』という神話――『摩滅』の形而上学1」、『みすず』二〇一九年十月号。
「〔デリダの文学的想像力7〕一般的隠喩論の不可能性へ向けて――『摩滅』の形而上学2」、『みすず』二〇一九年十二月号。
「〔デリダの文学的想像力8〕摩滅と類比のエコノミー――『白い神話』読解3」、『みすず』二〇二〇年四月号。
「〔デリダの文学的想像力9〕形而上学の壮大な連鎖、あるいは、星を太陽とみなすこと――『白い神話』読解4」、『みすず』二〇二〇年六月号。
郷原宏　『岸辺のない海　石原吉郎ノート』未來社、二〇一九年。
――『古事記』日本古典文學大系1『古事記 祝詞』倉野憲司・武田祐吉校注、岩波書店、一九五八年。
サール、ジョン　「隠喩」渡辺裕訳、佐々木健一編『創造のレトリック』』勁草書房、一九八六年、収録。
西郷信綱　『増補　詩の発生――文学における原始・古代の意味』未來社、一九六四年。
佐々木健一　佐々木編『創造のレトリック』勁草書房、一九八六年。
佐藤信夫　『レトリック感覚――ことばは新しい視点をひらく』講談社、一九七八年。
ジェイムソン、フレドリック　『言語の牢獄――構造主義とロシア・フォルマリズム』川口喬一訳、法政大学出版局、一九八八年。
シェリー、パーシー・ビッシュ　『シェリー詩集』上田和夫訳、新潮文庫、一九八〇年。
島崎藤村　『若菜集』、『島崎藤村全集1』筑摩書房、一九八一年。
高良勉　『ガマ』思潮社、二〇〇九年。
谷川俊太郎　「言葉を覚えたせいで」、『現代詩手帖』二〇二〇年一月号、思潮社。
『谷川俊太郎詩集』現代詩文庫、思潮社、一九六九年。
土井晩翠　『天地有情』、日本現代文學全集22『土井晩翠・薄田泣菫・蒲原有明・伊良子清白・横瀬夜雨集』講談社、一九六八年。

デカルト、ルネ　『方法序説』、筑摩世界文學大系19『デカルト　パスカル』野田又夫訳、筑摩書房、一九七一年。

デリダ、ジャック（Jacques Derrida）*De la Grammatologie*, Les Édition de Minuit, 1967.

『根源の彼方に　グラマトロジーについて』上下、足立和浩訳、現代思潮社、一九七二年／一九七六年。

Marges de la philosophie, Les Éditions de Minuit, 1972.

『哲学の余白』下、藤本一勇訳、法政大学出版局、二〇〇八年。

『声と現象――フッサール現象学における記号の問題への序論』高橋允昭訳、理想社、一九七〇年。

時枝誠記　『国語学原論――言語過程説の成立とその展開』上下巻、岩波文庫、二〇〇七年。

中江兆民　『三酔人経綸問答』岩波文庫、一九六五年。

仲里効　『遊撃とボーダー――沖縄・まつろわぬ群島の思想的地峡』未來社、二〇二〇年。

中原中也　日本詩人全集22『中原中也』新潮社、一九六七年。

ニーチェ、フリードリッヒ　「哲学者に関する著作のための準備草案」渡辺二郎訳、ちくま学芸文庫、一九九四年。

『ニーチェ全集第八巻　悦ばしき知』信太正三訳、理想社、一九六二年。

野家啓一　『言語行為の現象学』勁草書房、一九九三年。

野沢啓　『隠喩的思考』思潮社、一九九三年。

『単独者鮎川信夫』、思潮社、二〇一九年。

『発熱装置』思潮社、二〇一九年。

野村喜和夫　『哲学の骨、詩の肉』思潮社、二〇一七年。

ハーマン、ヨハン・ゲオルク　「理性の純粋主義へのメタ批判《メタクリティーク》」、『北方の博士・ハーマン著作選　上』川中子義勝訳、沖積舎、二〇〇二年。

ハイデガー、マルティン　『ハイデッガー選集7　哲学とは何か』原佑訳、理想社、一九六〇年。

『存在と時間』原佑訳、世界の名著74、中央公論社、一九八〇年。

「ヘルダーリンと詩の本質」齋藤信治訳、『ハイデッガー選集3　ヘルダーリンの詩の解明』理想社、一九六二年改訂版。

『ヒューマニズムについて——パリのジャン・ボーフレに宛てた書簡』渡邊二郎訳、ちくま学芸文庫、一九九七年。

萩原朔太郎『宿命』未來社、二〇一三年。

バシュラール、ガストン『火の精神分析』せりか書房、一九八一年第3刷。

バルト、ロラン『旧修辞学——便覧』沢崎浩平訳、みすず書房、一九七九年。« COMMUNICATIONS » 16, Seuil, 1970.

バンヴェニスト、エミール (Émile Benveniste) *Problème de linguistique générale*, Édition Gallimard, 1966.

『一般言語学の諸問題』岸本通夫監訳、河村正夫・木下光一・高塚洋太郎・花輪光・矢島猷三訳、みすず書房、一九八三年。

ハンデルマン、スーザン『誰がモーセを殺したか——現代文学理論におけるラビ的解釈の出現』山形和美訳、法政大学出版局、一九八七年。

ビアズリー、モンロー「隠喩のひねり」相澤照明訳、佐々木健一編『創造のレトリック』収録。

氷見敦子『氷見敦子全集』思潮社、一九九一年。

フーコー、ミシェル (Michel Foucault) *L'archéologie du savoir*, Édition Gallimard, 1969.

『知の考古学』中村雄二郎訳、河出書房新社、改訳新版、一九八一年。

ブラック、マックス「隠喩」尼ケ崎彬訳、佐々木健一編『創造のレトリック』収録。

フランス、アナトール『エピクロスの園』大塚幸男訳、岩波文庫、一九七四年。

フロイト、ジークムント『フロイト著作集2　夢判断』高橋義孝訳、人文書院、一九六八年。

「自我とエス」、『フロイト著作集6　自我論・不安本能論』井村恒郎・小此木啓吾訳、人文書院、一九七〇年。

ヘルダー、ヨハン・ゴットフリート『言語起源論』宮谷尚実訳、講談社学術文庫、二〇一七年。

細見和之『石原吉郎――シベリア抑留詩人の生と詩』中央公論新社、二〇一五年。

ホメロス『オデュッセイア』高津春繁訳、古典世界文学1『ホメーロス』筑摩書房、一九七六年。

松岡政則『口福台灣食堂紀行』思潮社、二〇一二年。

マラルメ、ステファヌ（Stéphane Malarmé）*Œuvres complètes*, Bibliothèque de la Pléiade.

「詩の危機」、南條彰宏訳、世界文學大系43『マラルメ／ヴェルレエヌ／ランボオ』筑摩書房、一九六二年。・・

丸山圭三郎『ソシュールを読む』岩波書店、一九八三年。

三木清『三木清全集5　哲学諸論稿・人間主義・他』岩波書店、一九六七年。

宮澤賢治『校本 宮澤賢治全集第二巻』筑摩書房、一九七三年。

メルロ＝ポンティ、モーリス『知覚の現象学1』竹内芳郎・小木貞孝訳、みすず書房、一九六七年。

『知覚の現象学2』竹内芳郎・木田元・宮本忠雄訳、みすず書房、一九七四年。

『眼と精神』滝浦静雄・木田元訳、みすず書房、一九六六年。

ヤコブソン、ロマン（Roman Jakobson）*Essais de linguistique générale*, Les Édition de Minuit, 1963.（ヤコブソンの名声を高めたニコラ・ルヴェ訳のフランス語版）

『一般言語学』川本茂夫監修、田村すゞ子ほか訳、みすず書房、一九七三年。

吉岡実『吉岡実詩集』現代詩文庫、思潮社、一九六八年。

吉本隆明『言語にとって美とはなにか』、『吉本隆明全著作集6　文学論III』勁草書房、一九七二年。

『戦後詩史論』大和書房、一九七八年。

『日本語のゆくえ』光文社、知恵の森文庫、二〇一二年。

『詩の力』新潮文庫、二〇〇九年。

『吉本隆明全著作集5　文学論II』勁草書房、一九七〇年。

『マス・イメージ論』福武書店、一九八四年。

ランガー、スーザン・K『シンボルの哲学』矢野萬里ほか訳、岩波書店、一九六〇年。

ランボー、アルチュール（Arthur Rimbaud）*Œuvres*, Garnier, 1960.

リオタール、ジャン＝フランソワ『文の抗争』陸井四郎ほか訳、法政大学出版局、一九八九年。

リクール、ポール『生きた隠喩』久米博訳、岩波現代選書、一九八四年。

「聖書的言語における隠喩の役割機能」、リクール、ポール／ユンゲル、エーバーハルト『隠喩論——宗教的言語の解釈学』麻生建・三浦國泰訳、ヨルダン社、一九八七年。

リチャーズ、アイヴァー・A『新修辞学原論』石橋幸太郎訳、南雲堂、一九六一年。

ルソー、ジャン＝ジャック『言語起源論』、『ルソー選集6／人間不平等起源論・言語起源論』竹内成明訳、白水社、一九八六年。

『言語起源論——旋律と音楽的模倣について』増田真訳、岩波文庫、二〇一六年。

ジョージ・レイコフ／マーク・ジョンソン『レトリックと人生』渡部昇一・楠瀬淳三・下谷和幸訳、大修館書店、一九八六年。

レヴィナス、エマニュエル『固有名』合田正人訳、みすず書房、一九九三年。

［ま行］

［や行］

［ら行］

人名索引

［あ行］

［か行］

［さ行］

［た行］

［な行］

［は行］

●著者略歴
野沢啓（のざわ・けい）
1949年、東京都目黒区生まれ。
東京大学大学院フランス語フランス文学科博士課程中退。フランス文学専攻（マラルメ研究）。
詩人、批評家。日本現代詩人会所属。
詩集——
『大いなる帰還』1979年、紫陽社
『影の威嚇』1983年、れんが書房新社
『決意の人』1993年、思潮社
『発熱装置』2019年、思潮社
評論——
『方法としての戦後詩』1985年、花神社
『詩の時間、詩という自由』1985年、れんが書房新社
『隠喩的思考』1993年、思潮社
『移動論』1998年、思潮社
『単独者鮎川信夫』2019年、思潮社（第20回日本詩人クラブ詩界賞）

【ポイエーシス叢書75】
言語隠喩論
二〇二一年七月三十日　初版第一刷発行

定価……本体二八〇〇円＋税
著者……野沢啓
発行所……株式会社　未來社
東京都世田谷区船橋一—一八—九
振替〇〇一七〇—三—八七三八五
電話（03）6432–6281
http://www.miraisha.co.jp/
info@miraisha.co.jp
発行者……西谷能英
印刷・製本……萩原印刷

ISBN978-4-624-93285-5 C0392

ポイエーシス叢書

（消費税別）

1 起源と根源　カフカ・ベンヤミン・ハイデガー　小林康夫著　二八〇〇円
5 知識人の裏切り　ジュリアン・バンダ著／宇京頼三訳　三二〇〇円
12 他者と共同体　湯浅博雄著　三五〇〇円
13 境界の思考　ジャベス・デリダ・ランボー　鈴村和成著　三五〇〇円
16 ニュー・クリティシズム以後の批評理論（上）　フランク・レントリッキア著／村山淳彦・福士久夫訳　四八〇〇円
17 ニュー・クリティシズム以後の批評理論（下）　フランク・レントリッキア著／村山淳彦・福士久夫訳　三八〇〇円
18 フィギュール　ジェラール・ジュネット著／平岡篤頼・松崎芳隆訳　三八〇〇円
27 インファンス読解　ジャン＝フランソワ・リオタール著／小林康夫・竹森佳史ほか訳　二五〇〇円
32 虚構の音楽　ワーグナーのフィギュール　フィリップ・ラクー＝ラバルト著／谷口博史訳　三五〇〇円
33 ヘテロトピアの思考　上村忠男著　二八〇〇円
35 反復論序説　湯浅博雄著　二八〇〇円
36 経験としての詩　ツェラン・ヘルダーリン・ハイデガー　フィリップ・ラクー＝ラバルト著／谷口博史訳　三五〇〇円
43 自由の経験　ジャン＝リュック・ナンシー著／澤田直訳　三五〇〇円
45 滞留［付／モーリス・ブランショ「私の死の瞬間」］　ジャック・デリダ著／湯浅博雄監訳　二〇〇〇円

72ヘテロトピアからのまなざし　上村忠男著　四八〇〇円
73日常非常、迷宮の時代　オペラ戦後文化論II　小林康夫著　二八〇〇円
74遊撃とボーダー――沖縄・まつろわぬ群島の精神現象論　仲里効著　三五〇〇円

本書の関連書　（消費税別）

増補・詩の発生【新装版】　西郷信綱著　三八〇〇円
日本詞華集　西郷信綱・廣末保・安東次男編　六八〇〇円
宿命　萩原朔太郎著　二〇〇〇円
増補・日本浪曼派批判序説【新装版】　橋川文三著　三二〇〇円
ことばと精神――粟津則雄講演集　粟津則雄著　二四〇〇円
ことばへの凝視――粟津則雄対談集　粟津則雄著　二四〇〇円
岸辺のない海　石原吉郎ノート　郷原宏著　三八〇〇円
詩人の妻――高村智恵子ノート　郷原宏著　二八〇〇円
言振り――琉球弧からの詩・文学論　高良勉著　二八〇〇円
まど・みちおという詩人の正体　大橋政人著　一八〇〇円
詩学批判――詩の認識のために　アンリ・メショニック著／竹内信夫訳　二六〇〇円